# Psicodrama e relações étnico-raciais

CIP-BRASIL. CATALOGAÇÃO NA PUBLICAÇÃO
SINDICATO NACIONAL DOS EDITORES DE LIVROS, RJ

P969

Psicodrama e relações étnico-raciais : diálogos e reflexões / organização Maria Célia Malaquias. - 1. ed. - São Paulo : Ágora, 2020.
208 p.

Inclui bibliografia
ISBN 978-85-7183-257-2

1. Psicodrama. 2. Psicoterapia. 3. Racismo - Brasil. 4. Brasil - Relações raciais. I. Malaquias, Maria Célia.

20-62331                               CDD: 616.891523
                                           CDU: 615.851(81)

Leandra Felix da Cruz Candido - Bibliotecária - CRB-7/6135

www.editoraagora.com.br

Compre em lugar de fotocopiar.
Cada real que você dá por um livro recompensa seus autores
e os convida a produzir mais sobre o tema;
incentiva seus editores a encomendar, traduzir e publicar
outras obras sobre o assunto;
e paga aos livreiros por estocar e levar até você livros
para a sua informação e o seu entretenimento.
Cada real que você dá pela fotocópia não autorizada de um livro
financia o crime
e ajuda a matar a produção intelectual de seu país.

# Psicodrama e relações étnico-raciais

## Diálogos e reflexões

Maria Célia Malaquias (org.)

*PSICODRAMA E RELAÇÕES ÉTNICO-RACIAIS*
*Diálogos e reflexões*
Copyright © 2020 by autores
Direitos desta edição reservados por Summus Editorial

Editora executiva: **Soraia Bini Cury**
Assistente editorial: **Michelle Campos**
Coordenação editorial, projeto gráfico e diagramação: **Crayon Editorial**
Capa: **Alberto Mateus**

## Editora Ágora

Departamento editorial
Rua Itapicuru, 613 – 7º andar
05006-000 – São Paulo – SP
Fone: (11) 3872-3322
Fax: (11) 3872-7476
http://www.summus.com.br
e-mail: summus@summus.com.br

Atendimento ao consumidor
Summus Editorial
Fone: (11) 3865-9890

Vendas por atacado
Fone: (11) 3873-8638
Fax: (11) 3872-7476
e-mail: vendas@summus.com.br

Impresso no Brasil

# Sumário

Prefácio – Psicodrama como arma de combate ao racismo . . . . . 7
*Flávio Carrança*

Introdução . . . . . . . . . . . . . . . . . . . . . . . . . . . . . . . . . . . . . . . 13

1. O Teatro Experimental do Negro:
berço do psicodrama no Brasil . . . . . . . . . . . . . . . . . . . . . . . . . 17
*Elisa Larkin Nascimento*

2. A declaração final do I Congresso do Negro Brasileiro . . . . . . . . 29
*Maria Célia Malaquias*

3. Escritos diversos em torno do psicodrama. . . . . . . . . . . . . . . . . 35
*Alberto Guerreiro Ramos*

4. Psicodrama e negritude no Brasil . . . . . . . . . . . . . . . . . . . . . . 57
*Maria Célia Malaquias*

5. O grito de Narciso . . . . . . . . . . . . . . . . . . . . . . . . . . . . . . . . 83
*Dalmiro Manuel Bustos*

6. Negritude. . . . . . . . . . . . . . . . . . . . . . . . . . . . . . . . . . . . . . 93
*Sergio Perazzo*

7. Reflexões sobre o "complexo de vira-lata" do brasileiro: uma perspectiva psicodramática ........................... 99
*Denise Silva Nonoya*

8. Racismo existe? Um encontro com o psicodrama por meio do jornal vivo ............................... 127
*Lúcio Guilherme Ferracini*

9. O processo de inclusão racial – Uma pesquisa com sociodrama ....................................... 143
*Maria da Penha Nery*

10. Desculpas interculturais: será possível reparar erros do passado no presente?........................... 157
*Rosa Cukier*

11. Abayodrama: criar, recriar, transformar ................. 173
*Maria Célia Malaquias, Ermelinda Marçal e Adriana Cristina Dellagiustina*

12. Ressonâncias compartilhadas ........................ 195
*Maria Célia Malaquias*

# Prefácio – Psicodrama como arma de combate ao racismo

*Flavio Carrança*

Conheci Maria Célia Malaquias na Casa Mário de Andrade, no bairro da Barra Funda, em São Paulo, em 12 de agosto de 2017, durante o lançamento de uma importante coletânea publicada pela editora Perspectiva, *O racismo e o negro no Brasil: questões para a psicanálise*, da qual ela é uma das autoras.

Penso em Maria Célia como uma mulher negra, psicóloga e psicodramatista, que dá continuidade ao que talvez possa se chamar de uma recém-criada tradição de intelectuais negros que usam o conhecimento adquirido nos campos da psicologia, da psiquiatria, da psicanálise e do psicodrama para confrontar o racismo e seus efeitos perversos na psique de homens e mulheres de todas as raças, porém com ênfase em mitigar o sofrimento e outras dificuldades que esse fenômeno provoca na vida das pessoas negras.

Devo dizer desde já que a intenção aqui não é fazer um estudo acadêmico sobre um tema que não domino em profundidade, até porque não sou acadêmico. Pretendo apenas dar uma ideia ao leitor de quem sou e de como conheci a organizadora deste livro, além de comentar as informações que juntei nas leituras que fiz ao longo de anos sobre o tema dos efeitos psicológicos do racismo e também minhas impressões a respeito do assunto que resultou no conjunto de textos que formam esta coletânea.

Penso que a tradição a que me referia anteriormente tem seu ponto de partida na presença precursora do psiquiatra negro Juliano Moreira, considerado por muitos o fundador da disciplina psiquiátrica no Brasil e também pioneiro no uso da psicanálise. Um artigo sobre ele que me chamou a atenção foi escrito por Ana Maria Martini Oda e

Paulo Dalgalarrondo (2000). Nele, os autores realçam sua explícita discordância com relação aos pensadores que atribuíam a degeneração do povo brasileiro à mestiçagem.

Também me chamou a atenção a trajetória da socióloga e psicanalista Virginia Leone Bicudo, que eu sabia ter participado, nos anos 1940 e 1950, de um projeto organizado pela Unesco sobre relações raciais no Brasil, mas só muito tempo depois descobri que se tratava de uma mulher negra. Lendo sobre Bicudo, descobri uma mestiça afrodescendente que conta ter decidido estudar sociologia para acertar as contas com uma infância marcada por episódios de discriminação racial. Apesar da importância de seus estudos sobre o racismo e de seu papel central tanto na difusão quanto na institucionalização da psicanálise no Brasil, ela não se aprofundou no estudo dos efeitos psicológicos do racismo sobre negras e negros.

Esse tema, no entanto, ocupou lugar central nas preocupações do Teatro Experimental do Negro (TEN), sendo objeto de uma ação concreta com o uso pioneiro da técnica desenvolvida por Jacob Levy Moreno, no trabalho desbravador de grupoterapia desenvolvido por Guerreiro Ramos, iniciativa que será bastante esmiuçada ao longo desta obra.

No campo da psicanálise, esse debate sobre os efeitos psicológicos do racismo sobre a população negra me parece ter sido inaugurado no Brasil por Neusa Santos Souza. Acredito não haver muita originalidade em dizer que foi justamente por meio da leitura do mais conhecido texto da autora (Souza, 1983) que pela primeira vez tomei contato com uma reflexão teórica sobre os efeitos psicológicos do racismo.

Em 1980 ou 1981, quando era militante do Movimento Negro Unificado (MNU), em São Paulo, na sede da organização – uma sala na parte mais baixa de um cortiço no número 450 da rua Almirante Marques Leão, no Bixiga –, recebi de uma companheira que atuava no núcleo de mulheres da organização uma fotocópia (que ainda guardo comigo) da recém-aprovada dissertação de mestrado de Neusa, intitulada *Tornar-se negro, ou as vicissitudes da identidade do negro brasileiro em ascensão social*, texto que em 1983 seria lançado em livro pela Edições Graal. A leitura dessa obra me causou forte impressão.

Bem mais tarde, tomei conhecimento dos textos de Isildinha Batista Nogueira (1998) e José Thiago Reis Filho (1995) e particularmente do caderno *Os efeitos psicossociais do racismo*, do Instituto Amma Psiquê e Negritude.

Faço referência a esses autores e obras para reafirmar que há tempos me interesso pela questão dos efeitos psicológicos do racismo, o que significa que, mesmo não sendo especialista, o assunto não me é totalmente estranho, até porque sou uma pessoa que, como tantas outras, viveu e vive as consequências do racismo na vida emocional. Devo dizer, a bem da verdade, que durante muito tempo pensei que os episódios de racismo ocorridos na minha vida eram fatos excepcionais, até que há relativamente pouco tempo uma crise de depressão me obrigou a mergulhar em abismos interiores e confrontar os demônios que neles habitam.

Por falar em grupos, eu já tinha ouvido falar a respeito do psicodrama e até lido, faz anos, um livro sobre o assunto (Milan, 1976), mas tinha apenas uma vaga ideia de como funcionava essa abordagem até Maria Célia Malaquias me convidar para ajudá-la a preparar alguns dos textos que integram este livro. As conversas com ela e a leitura do material me fizeram entender melhor em que consiste esse tipo de terapia e de que maneira pode ser utilizada como instrumento para mitigar, entre outras questões, a dor e o sofrimento causados pelo racismo. Também foi importante, nesse sentido, participar de uma sessão aberta de psicodrama, dirigida por Luís Russo e organizada pelo Daimon – Centro de Estudos do Relacionamento, realizada no início de abril de 2018 em São Paulo.

Foi com a leitura dos artigos enviados por Maria Célia que entendi a importância e o pioneirismo das experiências de grupoterapia desenvolvidas por Guerreiro Ramos, sobre as quais tinha lido na edição em *fac-símile* do jornal *Quilombo* – porém sem dar muita importância –, como parte das atividades do Instituto Nacional do Negro, o departamento de estudos e pesquisas do TEN. E foi também com base nessas leituras que descobri a existência dos textos de J. L. Moreno sobre a questão racial nos Estados Unidos, os quais, por sua vez, como pude perceber, eram consequência do envolvimento prático do criador do psicodrama com pessoas envolvidas no problema racial norte-americano.

Como nesses textos de Moreno, nos escritos de Guerreiro Ramos sobre a grupoterapia e em vários artigos de outros profissionais dessa área o que senti e entendi durante a leitura desta coletânea foi a existência de uma disposição por parte dos profissionais que dela participam para, com as armas disponíveis dentro dessa técnica e do campo teórico pelo qual optaram, aperfeiçoar e fazer avançar o combate aos graves efeitos do racismo na vida emocional de homens e mulheres negras(os)e não negras(os).

Na monografia que escreveu para obter o título de psicodramatista didata supervisora na Sociedade de Psicodrama de São Paulo (Sopsp), Maria Célia Malaquias conta que, no tempo em que fazia graduação em Psicologia, entre o fim dos anos 1970 e início dos 1980, defrontou nos espaços acadêmicos com "uma carência de interlocutores que pudessem compreender as questões emocionais que envolviam uma parcela significativa de homens e mulheres negros [...] quanto ao significado de ser negro na sociedade brasileira" (Malaquias, 2004).

Nesse período, marcado pela reorganização e reafirmação do movimento negro brasileiro, ela participava de reuniões com diversos grupos, mas mesmo aí constatava uma dificuldade de compreensão da ideia de que, além da luta por inserção do negro por meio da conquista de espaços na sociedade brasileira, "era necessária também a conquista dos espaços internos, no sentido que percebíamos a necessidade de cuidar das dores emocionais provocadas por situações de preconceito e de discriminação, que estavam presentes no cotidiano das relações entre negros e não negros, quer no passado, quer na atualidade" (Malaquias, 2004).

Formada em Psicodrama e com significativa experiência profissional como psicóloga clínica, tendo atuado ainda na formação de professores do ensino fundamental, médio e universitário e com participação intensa em congressos de psicodrama e grupos de estudos, Maria Célia começou a sentir o desejo de trazer para o contexto sociodramático algumas das questões referentes à história do negro no Brasil. No

XI Congresso Brasileiro de Psicodrama, ocorrido em 1998, ela participou pela primeira vez de uma atividade em um congresso de psicodrama dirigida por um psicodramatista negro, o baiano Paulo Amado. Em 1999, durante o II Congresso Ibero-Americano de Psicodrama, realizado em Águas de São Pedro, estreou, novamente em parceria com Amado, como diretora do sociodrama "Psicodrama e a subjetividade palmarina: da senzala a Palmares".

Depois disso, passou a dirigir ou a participar como ego-auxiliar em sociodramas com temáticas étnico-raciais em diversos congressos e nos mais variados espaços da capital paulista, dirigindo públicos acadêmicos e não acadêmicos de regiões centrais, periféricas e também da Grande São Paulo, às vezes com presença predominante de negros e negras e outras com maior participação de brancos ou não negros.

Trata-se de uma trajetória – como preconizado por Moreno – pautada pela busca de um ser humano essencialmente espontâneo e criativo e que, quando pertencente à etnia negra, busque tornar realidade o direito de ser tratado como pessoa, uma vez que a tradição histórica herdada do escravismo é a de lidar com a negra e o negro como se fossem "coisas".

É Malaquias (2016) quem afirma que tanto na psicologia quanto no psicodrama ainda há muito que pesquisar, refletir e compreender sobre o tema do racismo. Para mim, a vivência da sessão aberta de psicodrama da qual participei no Daimon, os relatos de Maria Célia sobre os psicodramas, sociodramas e etnodramas que dirigiu e seus resultados, além do consistente conjunto de artigos reunidos neste volume, mostram que a teoria e a técnica desenvolvidas por J. L. Moreno e aprimoradas pelos seus inúmeros seguidores constituem ferramentas eficazes de combate aos efeitos do racismo e que a pesquisa e a reflexão necessárias para uma compreensão mais aprofundada desse tema estão em andamento.

## REFERÊNCIAS

Bicudo, Virginia Leone. [1945]. *Atitudes raciais de pretos e mulatos em São Paulo*. Org. Marcos Chor Maio. São Paulo: Sociologia e Política, 2010.

KON, Noemi Moritz. "À guisa de apresentação: por uma psicanálise brasileira". In: KON, Noemi Moritz; SILVA, Maria Lúcia da; ABUD, Cristiane Curi (orgs.). *O racismo e o negro no Brasil: questões para a psicanálise*. São Paulo: Perspectiva, 2017.

MALAQUIAS, Maria Célia. *Revisitando a africanidade brasileira: do Teatro Experimental do Negro de Abdias do Nascimento ao protocolo "Problema negro-branco", de Moreno*. Monografia – Sociedade de Psicodrama de São Paulo, São Paulo, 2004.

_____ et al. "Psicodrama e relações raciais". *Revista Brasileira de Psicodrama*, v. 24, n. 2, 2016, p. 91.

MILAN, Betty. *O jogo do esconderijo: terapia em questão*. São Paulo: Livraria Pioneira Editora, 1976.

NOGUEIRA, Isildinha Batista. *Significações do corpo negro*. Tese (Doutorado em Psicologia) – Universidade de São Paulo, São Paulo (SP), 1998.

ODA, Ana Maria Galdini R.; DALGALARRONDO, Paulo. "Juliano Moreira: um psiquiatra negro frente ao racismo científico". *Revista Brasileira de Psiquiatria*, v. 22, n. 4, 2000.

*QUILOMBO: vida, problemas e aspirações do negro*. Edição em fac-símile do jornal dirigido por Abdias do Nascimento. São Paulo: Editora 34, 2003

REIS FILHO, José Thiago. *Ninguém atravessa o arco-íris: um estudo sobre negros*. Dissertação (mestrado em Psicologia Social) – Universidade Federal de Minas Gerais, Belo Horizonte (MG), 1995.

SILVA, Ana Maria et al. *Os efeitos psicossociais do racismo*. São Paulo: Imprensa Oficial do Estado de São Paulo/Instituto Amma Psique e Negritude, 2008. Disponível em: <http://www.ammapsique.org.br/baixe/Os-efeitos-psicossociais-do-racismo.pdf>. Acesso em: 25 nov. 2019.

SOUSA, Neusa Santos. *Tornar-se negro, ou as vicissitudes da identidade do negro brasileiro em ascensão social*. São Paulo: Graal, 1983.

# Introdução

Há muito eu alimento o sonho de convidar colegas do psicodrama para pensarmos nas possibilidades do método de contribuir com seu referencial teórico e prático para a temática das relações raciais no Brasil. Embora a pesquisa realizada por mim (Malaquias, 2004) tenha informado o movimento psicodramático brasileiro sobre o trabalho pioneiro de Alberto Guerreiro Ramos, de 1949, constato que ainda há pouco conhecimento – em alguns casos, total desconhecimento – sobre a vivência de uma parcela significativa de homens e mulheres negros.

Não se trata de pensar um psicodrama para negros, mas de questionar em que medida o cotidiano das relações raciais aparece no contexto de nossa prática, na clínica, na escola, nas empresas, nas diversas instituições. Caso esse fato nunca nos tenha ocorrido, há de se estranhar, visto que estamos num país de maioria negra. Por que não aparecem?

Pois bem, o referido sonho começou a caminhar para a concretização no XX Congresso Brasileiro de Psicodrama, que aconteceu na cidade de São Paulo, em abril de 2016, com o tema "Soluções para tempos de crise". Entendi ser um contexto propício para refletir sobre as relações raciais. Desde 1999, tenho participado de quase todos os congressos nacionais, além de alguns internacionais, de psicodrama, onde apresento trabalhos sobre a temática das relações raciais, sendo a maioria vivências. Nesse XX Congresso, quis dialogar com colegas por meio da mesa-redonda "Psicodrama e relações raciais", que organizei. Para discutir tal temática, convidei os colegas Antônio Carlos M. Cesarino, Denise Silva Nonoya e Maria da Penha Nery.

Houve um relevante interesse do público presente, que se envolveu intensamente com perguntas, comentários, compartilhamentos.

Após esse momento, propus escrevermos um artigo com as impressões de seis colegas psicodramatistas que estiveram presentes na apresentação. O artigo foi publicado parcialmente na *Revista Brasileira de Psicodrama*, volume 24, número 2, de 2016. Esse artigo, escrito a várias mãos, foi um dos passos dados para que eu elaborasse o projeto desta coletânea.

Convidei para ser colaboradores colegas e amigos de longa data, todos psicodramatistas reconhecidos em suas áreas de atuação. Além de excelentes profissionais, são, sobretudo, pessoas sensíveis à temática das relações raciais, com as quais tenho compartilhado muitas das minhas angústias diante dos sofrimentos psíquicos com que tenho deparado na vida tanto pessoal quanto profissional. Daí o desafio de coconstruirmos o presente livro.

Estamos acompanhados da psicóloga e mestre em Ciências Sociais Elisa Larkin Nascimento, diretora do Instituto de Pesquisas e Estudos Afro-Brasileiros (Ipeafro). Elisa é viúva de Abdias Nascimento e contextualiza o surgimento do Teatro Experimental do Negro, a criação do Instituto Nacional do Negro e o trabalho pioneiro de Alberto Guerreiro Ramos, possível *locus nascendi* do psicodrama brasileiro. Reconhecida pelo seu trabalho de décadas de lutas antirracistas, e também como pesquisadora e escritora, Elisa, com sua presença nesta obra, me deixa honrada e agradecida.

Fiz os convites e, de prontidão, todos responderam positivamente. Estávamos em outubro de 2016 quando me lancei como organizadora do livro, papel nunca vivido por mim. Minha experiência até então era como coautora de alguns livros, quando, como de praxe, me solicitavam um texto sobre certa temática, que deveria ser entregue dentro de determinado prazo. Esta era a minha expectativa: aceito e definido o prazo de entrega, seria preciso apenas aguardar. Não foi bem assim. Recebi um capítulo um mês antes da data solicitada, e semanas depois mais alguns entregaram seus textos, enquanto outros, lamentavelmente, desistiram de participar do projeto. Ajustes no cronograma foram necessários. Muitas conversas com autores. Um processo longo e de grande aprendizado.

Não é fácil pesquisar, refletir e escrever sobre esse tema. Ao fazê-lo, somos atravessados, surpreendidos por emoções desconhecidas, muitas vezes incômodas. As interlocuções são intensas, não apenas com os autores pesquisados, mas sobretudo com o ato de revisitar nossas histórias, nossas famílias, a descoberta daquele familiar que estava esquecido, aquelas histórias que até então não eram entendidas e de repente parecem fazer emergir o nosso lado (todo?) negro.

Entendo que esse processo, que nos leva "sem querer" ao encontro de nós mesmos(as), caminha num outro tempo, não cronológico; daí um dos impedimentos de, mesmo querendo escrever, sistematizar os pensamentos. Ou seja, "é preciso dar tempo ao tempo".

Quando me refiro a relações étnico-raciais, penso na perspectiva de estudiosos que as consideram algo que diz respeito a todas as pessoas. No Brasil, temos uma tendência a pensar automaticamente que relações étnico-raciais dizem respeito exclusivamente ao negro. Não é assim. É relacional e, portanto, todos estão imbricados. Dada a forma de como se constituiu o povo brasileiro, originalmente a partir de uma maioria de negros escravizados por brancos, o foco está nas relações entre negros e não negros, como se deram e se dão essas relações. Não se trata de contrapor um ao outro, mas de colocar em evidência a maneira como a história se fez e suas decorrências para as relações entre negros e não negros no Brasil.

No psicodrama, ciência desenvolvida pelo psiquiatra Jacob Levy Moreno, atuamos na modalidade de pesquisa/ação, em que é testada a aplicabilidade de um método. Como nos ensina Wilson Castello de Almeida (1994, p. 56): "Método, sabemos todos, é caminho, é modo de movimentar, é jeito, estilo e é inspiração". O método possibilita ao diretor e a todos os envolvidos, por meio da leitura grupal, diagnosticar e nomear aquilo de que o grupo precisa, a fim de coconstruir soluções possíveis.

Os trabalhos que tenho realizado ao longo de mais de duas décadas de atuação apontam que ainda temos pouco conhecimento da história das relações étnico raciais no Brasil. Temos pouca noção das diferenças étnicas. Como brasileiros, estamos mergulhados numa cultura que nos coloca como mais-valia o branco, e as relações são pautadas nesta perspectiva: quanto mais semelhante ao branco, melhor. Ao negro é reservado um lugar inferior. É necessário conhecer, compreender, para pensar uma atuação profissional com e para as pessoas.

Empenhamo-nos em registrar neste livro os diálogos construídos com os autores nos últimos dois anos. Com muitas descobertas e dúvidas, vivemos nesse processo de ensinar e aprender. Temos ciência de que só estamos começando. Há muito a ser feito. Mas essa foi a porta que conseguimos abrir e, com isso, muitos outros estão chegando. Estou feliz. Iniciei esta caminhada, no psicodrama, com o amigo Paulo Amado, a quem agradeço pelos importantes primeiros passos e por continuar me acompanhando a distância. Este livro concretiza que um sonhar junto faz esse sonho virar realidade.

Minha gratidão às/aos colegas que me acompanharam nesta aventura. Que se desdobraram – e muito – para contribuir com este projeto: Adriana Dellagiustina, Dalmiro M. Bustos, Denise Silva Nonoya, Ermelinda Marçal, Lúcio Guilherme Ferracini, Maria da Penha Nery, Rosa Cukier e Sergio Perazzo.

Muito obrigada aos colegas que se dispuseram a compartilhar suas vivências ao participar da mesa-redonda "Psicodrama e relações raciais": Camila D'Avila Moura, Davison Willians Salemme, Ermelinda Marçal, Jéssica Daiana de Oliveira, Pedro Mascarenhas e Sergio Eduardo Serrano Vieira.

Ao Ronaldo Pamplona, meus profundos agradecimentos pelas trocas e pelas sugestões.

Ao Flávio Carrança, agradeço pelas leituras atentas e pelas sugestões pautadas nas suas vivências como jornalista e participante ativo no movimento negro e pelo prefácio.

Meu profundo agradecimento à minha família, aos pacientes, clientes, alunos, supervisionandos e colegas.

Espero que a leitura traga reflexões e desperte o interesse para novas contribuições sobre o tema, em especial no movimento psicodramático brasileiro. Boa leitura!

Maria Célia Malaquias

# 1. O Teatro Experimental do Negro: berço do psicodrama no Brasil

*Elisa Larkin Nascimento*

**INTRODUÇÃO**

A primeira notícia do psicodrama no Brasil surge com o Teatro Experimental do Negro (TEN), no Rio de Janeiro, na década de 1940. O psicodrama emerge, então, do interior do movimento social de combate ao racismo. Esse fato pode ser considerado um paradoxo, uma vez que o psicodrama é uma teoria e proposta de ação terapêutica racialmente neutra, pensada e desenvolvida para todos, independentemente da cor. Creio que o contrário se revela, entretanto, quando reconhecemos o racismo como anomalia que afeta a vida de todas as pessoas. Creio, ainda, que o terreno do combate ao racismo seja dos mais férteis para a compreensão da inter-relação entre o social e o psicológico. Foi esse o campo de atuação do TEN com seu projeto de psicodrama.

Precisamos aqui afirmar cientificamente: "raça" não é um fenômeno genético-biológico, mas uma construção social cuja dinâmica opera em função do fenótipo socialmente interpretado. Constituído nas relações interpessoais que compõem a interação social, o racismo exerce profundo efeito na subjetividade individual. Assim, parece evidente a relevância do psicodrama para a subjetividade das relações raciais. Se houver um paradoxo no fato histórico de o psicodrama nascer no meio social do combate ao racismo, ele residirá na tendência de subestimar o fenômeno psicossocial do racismo e de apagar o protagonismo de agentes históricos negros. A psicologia não escapa dessa tendência, como testemunha a longa trajetória de ausência de escuta ou de distorção da voz, da escuta e da subjetividade negras na disciplina (Nascimento, 2003). O verdadeiro paradoxo se situa, a meu ver, no fato de a atuação dos artistas e intelectuais negros que propiciaram os primeiros passos do psicodrama no Brasil ter ficado, até o momento, à margem do registro escrito do pensamento teórico e da história da psicologia brasileira.

No presente ensaio, apresento um esboço sobre o contexto em que o TEN se desenvolveu, seu propósito e seu papel no movimento social, assim como sobre a proposta de psicodrama desenvolvida no seu interior. Em seguida, procuro mencionar desdobramentos mais recentes dos trabalhos desenvolvidos no seio do TEN.

**O TEATRO EXPERIMENTAL DO NEGRO: CONTEXTO E PROJETO**

Em 1944, o Brasil emergia de um período de governo autoritário (o Estado Novo) e se mobilizava para reorganizar as instituições políticas e reconstruir a democracia. Vivia um fervor de novas ideias e ideais rumo à Assembleia Constituinte, realizada em 1946. Essa intensa agitação política se refletia numa efervescência de propostas e iniciativas inovadoras no campo cultural e artístico. O Teatro Experimental do Negro se insere nesse contexto.

Até aquele momento, o chamado "protesto negro", protagonizado por entidades negras por meio de uma imprensa ativa e militante, se concentrava na denúncia da discriminação e na busca da integração do negro à sociedade, à economia e à política do país, sem, no entanto, questionar a cultura e os valores de suas instituições. O mais eminente exemplo é a Frente Negra Brasileira, fundada em 1931, que se constituiu como partido político em 1936 e foi dissolvida pelo Estado Novo, quando este fechou todos os partidos políticos (Nascimento, 2019).

No meio da agitação política e cultural do período pós-Estado Novo e pré-Constituinte, o Teatro Experimental do Negro agregou à luta contra a discriminação uma nova dimensão: a recuperação e a defesa dos valores de origem africana como base de uma identidade própria do negro como protagonista no palco da sociedade brasileira. Abdias Nascimento[1], fundador do TEN, explicou essa dupla dimensão nos seguintes termos:

---

[1] Embora também respondesse pelo nome oficial "Abdias do Nascimento", em 2004 o pensador solicitou ao Ipeafro – instituto que ele criou e que hoje guarda seu acervo – que uniformizasse o uso "Abdias Nascimento", o que faço neste artigo. Maiores informações sobre sua vida e sua obra se encontram na biografia publicada pelo Senado Federal e disponibilizada pelo Ipeafro (Nascimento, 2014).

[...] pretendi organizar um tipo de ação que a um tempo tivesse significação cultural, valor artístico e função social. [...] De início, havia a necessidade do resgate da cultura negra e seus valores, violentados, negados, oprimidos e desfigurados. [...] O negro não deseja a ajuda isolada e paternalista, como um favor especial. Ele deseja e reclama um status elevado na sociedade, na forma de oportunidade coletiva, para todos, a um povo com irrevogáveis direitos históricos. [...] a abertura de oportunidades reais de ascensão econômica, política, cultural, social, para o negro, *respeitando-se sua origem africana*. (Nascimento, 1968, p. 37 e 51, grifo meu)

Em 1945, o TEN realizou a Convenção Nacional do Negro, cujo "Manifesto à nação brasileira" embasou a proposta de medida antirracista e de políticas positivas apresentada à Assembleia Nacional Constituinte de 1946. A atuação política, intimamente ligada ao trabalho artístico, foi constante na trajetória do TEN, pois a base de ambas as ações era a conscientização. O foco inicial, coerente com aquele dos movimentos negros anteriores e contemporâneos ao TEN, era a educação.

A um só tempo o TEN alfabetizava seus primeiros participantes, recrutados entre operários, empregados domésticos, favelados sem profissão definida e modestos funcionários públicos, e oferecia-lhes uma nova atitude, um critério próprio que os habilitava também a ver, a enxergar o espaço que ocupava o grupo afro-brasileiro no contexto nacional (Nascimento, 2004).

A conscientização sustentava o trabalho artístico-cultural e político do TEN. Suas atividades se situavam no que Abdias Nascimento chamava de "campo de polarização psicológica" (Nascimento, 1966b, p. 79).

## GUERREIRO RAMOS E O TEN

Em 1946, o TEN celebrou seu segundo aniversário com atividades que congregaram intelectuais e artistas brasileiros de vários matizes ideológicos e áreas de atuação. Essa ampla interlocução continuou nos anos seguintes. Entre os que se aproximaram ao TEN nesse período estava Alberto Guerreiro Ramos, um jovem sociólogo filho de uma lavadeira de Salvador. Ativo nos meios intelectuais, ligado à juventude católica pensante e conhecedor da moderna filosofia de sua época, ele desenvolvia pesquisa e pensamento crítico. Em busca do "homem novo" almejado por sua geração, a rebeldia de Guerreiro o aproximou de Abdias Nascimento e do TEN, onde se engajou na luta antirracista, mergulhou na análise das dimensões estéticas e subjetivas do racismo e desenvolveu, entre outras atividades, trabalhos de psicodrama e sociodrama (Guerreiro Ramos, 1950a; 1950b).

Guerreiro Ramos (1995, p. 260) cita sua participação no TEN como práxis que fundamentou o desenvolvimento de sua abordagem sociológica. Ao arregaçar as mangas e se empenhar no ativismo cultural, sociorracial e intelectual do TEN, ele vivia a "ação do intelectual novo" que cedo preconizara (Guerreiro Ramos, 1937, p. 165). Mais tarde, ele identificaria o TEN como a mais destacada manifestação da nova fase dos estudos das relações raciais no Brasil, "caracterizada pelo fato de que, no presente, o negro se recusa a servir de mero tema de dissertações 'antropológicas', e passa a agir no sentido de desmascarar os preconceitos de cor" (Guerreiro Ramos, 1995, p. 205). O TEN incorporava o exemplo vivo do "sujeito epistêmico", categoria que o jovem Guerreiro elaborara nos anos 1930: "um ser de recusa capaz de conciliar o pensamento e a ação, a existência e o cálculo" (Antelo, 2016, p. 22). A crônica da ação do TEN como sujeito epistêmico não cabe neste ensaio, mas certamente constatará o fato quem estudar a história, as iniciativas e as atividades do TEN, algo que tive a honra e a oportunidade de ensaiar (Nascimento, 2003; 2016). Além disso, Abdias e Guerreiro participaram no Instituto Superior de Estudos Brasileiros (Iseb), pois os ativistas e intelectuais do TEN não se distanciavam dos temas urgentes do cenário nacional de seu tempo.

## O "PROBLEMA DO NEGRO" E A POSTURA DO NIGER SUM

Quando nos debruçamos sobre o "problema do negro" no Brasil, fica nítida a intenção do TEN: estudar o tema para agir sobre ele. Guerreiro Ramos (1995, p. 236) identifica esse "problema" como reflexo da "patologia social do 'branco' brasileiro, de sua dependência psicológica", e afirma "a necessidade de reexaminar o tema das relações de raça no Brasil, dentro de uma posição de autenticidade étnica". Com base em sua experiência no TEN, ele pensa uma metodologia:

> Qual será a situação vital a partir de que seria melhor propiciada para o estudioso a compreensão objetiva do tema em tela? Ao autor, parece aquela da qual o homem de pele escura seja, ele próprio, um ingrediente, contanto que este sujeito se afirme de modo autêntico como negro. Quero dizer, começa-se a melhor compreender o problema quando se parte da afirmação: *niger sum* [sou negro]. Esta experiência do *niger sum*, inicialmente, é, pelo seu significado dialético, na conjuntura brasileira em que todos querem ser brancos, um procedimento de alta rentabilidade científica, pois introduz o investigador em perspectiva que o habilita a ver nuanças que, de outro modo, passariam despercebidas. (p. 198-99)

A ação social do TEN era centrada nessa postura do *niger sum*, fato constatado nas publicações que registravam e difundiam suas ideias, propostas e iniciativas (Nascimento, 1961; 1966a; 1968). O TEN atuava para aprofundar a identidade do negro como o protagonista de uma transformação social necessária para a construção de um Brasil democrático e desenvolvido.

Essa postura do *niger sum* antecipa em décadas a formulação do perspectivismo africano e do centro como localização que sustenta o paradigma da afrocentricidade (Asante, 2009). Ao desafiar e inverter a relação pesquisador/objeto de pesquisa, lançando-se ao estudo do "branco" e da brancura de acordo com o *niger sum* – seu lugar e sua perspectiva como negros –, os intelectuais do TEN anteciparam a teoria crítica racial (Delgado, 1997) e os estudos da branquitude (Bento, 2014; Cardoso e Schucman, 2014).

## PSICOLOGIA E SOCIOLOGIA NA PRÁXIS DO TEN

Alguns dos principais focos da atuação cênica e social do Teatro Experimental do Negro eram os efeitos psicológicos da patologia do racismo, dramatizados em suas peças. Para desenvolver atividades extracênicas, o TEN criou o Instituto Nacional do Negro, espaço específico por meio do qual organizava seminários de grupoterapia na forma de psicodrama ou sociodrama. O objetivo era oferecer oportunidade terapêutica e psicológica, discutindo criticamente e agindo sobre aspectos da realidade social abordada no ato terapêutico. Nesse processo, ficava nitidamente configurada a inter-relação entre o social e o psicológico. O projeto era ambicioso:

> Esta é a primeira vez que, no Brasil, se realizam estudos com essa técnica de base psicanalítica, e com esta iniciativa o TEN pretende formar uma turma de técnicos hábeis para organizar grupos tendo em vista a eliminação das dificuldades emocionais que impedem a plena realização da personalidade da gente de cor. [...] O Teatro Experimental do Negro, com sua turma acima referida, irá atuar nos morros, terreiros, e nas associações de gente de cor, colaborando, como até agora tem feito, pela valorização do negro no Brasil. (Instituto Nacional do Negro, 1949, p. 11)

A base teórica do psicodrama desenvolvido no TEN derivava da reflexão e da prática do sociólogo e médico austríaco J. L. Moreno: de acordo com Guerreiro Ramos (1950a, p. 6-7), que denominava o psicodrama "sociatria", "o psicodrama é, ao mesmo tempo, um método de análise das relações humanas e um processo de terapêutica psicológica". Trabalhava-se com pessoas em terapia e com "egos-auxiliares", isto é, pessoas que representavam as que estavam ausentes, mas faziam parte da situação a ser encenada.

> O palco representa a miniatura da sociedade, em que se materializa o problema psicológico [...] [concretizando-se] efetivamente a constelação de relações de que o indivíduo é participante. [...] enseja-se, aí, ao paciente, a possibilidade de lutar, não apenas na dimensão imaginária e verbal, mas em todas as dimensões, com seus temores e ansiedades. O paciente, no palco, pode ser treinado num novo papel ou numa nova conduta. Sua readaptação é obtida aí e a confiança que ele aí adquire [...] pode ser transportada para a vida real. (Guerreiro Ramos, 1950a, p. 7)

Uma dimensão inusitada da práxis psicossociológica do TEN era o seu caminhar em direção à abordagem multidisciplinar, que integrava a dimensão psicológica ao pensamento sociológico numa época em que esta disciplina buscava um olhar "objetivo" sobre dados concretos e comprovados. Esse aspecto multidisciplinar e o pensamento original que ousava basear-se no negro "como lugar" – centro desde o qual cabia lançar um novo olhar sobre o Brasil (Santos, 1995) – eram inovações que a sociologia da época teria sérias dificuldades de assimilar. Entretanto, esses aspectos fizeram do pensamento e da ação do TEN, assim como de seus mentores intelectuais, atores inconfundíveis no palco do pensamento crítico e neo ou pós-moderno no Brasil.

**DESDOBRAMENTOS ATUAIS**

O legado do TEN para a *performance* negra no Brasil está registrado em depoimentos e livros (Mello e Bairros, 2005), além de fatos como a criação, em 2004, do Coletivo de Atores Negros Abdias Nascimento (CAN), pelo qual o ator e diretor Ângelo Flávio levou aos palcos de Salvador os textos da antologia do TEN (Nascimento, 1961) e realizou, em 2014, a estreia mundial da peça *Sortilégio II: mistério negro de Zumbi redivivo*, de Abdias Nascimento (1979). Cabe aqui apontar um desdobramento do TEN intimamente ligado ao seu projeto de psicodrama, que se concretiza no Teatro do Oprimido, criado por Augusto Boal nos anos 1970. Quando o TEN desenvolvia seu projeto de psicodrama, Boal era um adolescente de excepcional brilho intelectual e criativo, cuja consciência social o levava a explorar com avidez o campo do pensamento crítico no teatro brasileiro. Assim como acontecera antes com Guerreiro Ramos, a rebeldia de Boal o aproximou de Abdias Nascimento e do TEN. Relatou o próprio Boal em carta que me remeteu quando comemorávamos os 90 anos de Abdias:

> Abdias me ajudou muito no meu começo em teatro: lia minhas peças e me dava conselhos, sempre úteis, não só do ponto de vista teatral mas, o que era para mim mais importante, do ponto de vista ético e político. Eu tinha um contato direto com a pobreza, morando na pobre Penha

daquela época, mas foi o Abdias que me ensinou a compreender as causas daquela pobreza. Eu via e odiava o racismo, explícito ou disfarçado, mas foi o Abdias que me ensinou a compreender as razões e a extensão, às vezes até mesmo inconscientes, do racismo brasileiro. (Boal, 2004)

Boal se aproximou do TEN em 1948 e acompanhava suas atividades na época em que o jornal *Quilombo*, órgão do TEN, publicava matérias sobre psicodrama. Boal deve ter conhecido esse trabalho ou, ao menos, dele teve notícias por meio desses textos. Seu compromisso com a questão racial e sua convivência com o TEN o levaram a desenvolver e aprofundar esse aspecto das relações raciais na ação do Teatro do Oprimido. Tal atitude contrariava uma longa trajetória de desatenção ao racismo, até mesmo de negação da discriminação racial por parte dos setores progressistas da arte e da intelectualidade brasileiras, que a classificavam como "social". Tal postura prevaleceu desde a Semana de Arte Moderna em 1922; atravessou a década de 1940, contestando e contrariando o TEN e o Comitê Democrático Afro-Brasileiro; imperou até as décadas dos 1970 e 1980 (Lopes, 2015, p. 38; Nascimento, 2014) e tem forte presença ainda hoje (Nascimento, 2018).

A metodologia do Teatro do Oprimido se assemelha, em várias questões, ao trabalho e à reflexão teórica do TEN, particularmente no aspecto de constatar e desenvolver em exercícios cênicos a íntima relação entre o social e o psicológico, com foco na questão racial. Licko Turle descreve a metodologia do Teatro do Oprimido aplicada em ações voltadas para combater o racismo, em termos nitidamente semelhantes aos objetivos do TEN anteriormente apresentados por Abdias Nascimento:

> Este trabalho visa auxiliar aqueles que venham a utilizar o método do teatro do oprimido, criando novas possibilidades estéticas de diálogos sociais e contribuindo ética e politicamente com a população afro-brasileira, de forma que ela deixe de ser espectadora do seu presente e passe a ser a protagonista do seu futuro, servindo, ainda, como reflexão sobre uma produção dramatúrgica que permita ao negro falar de seus conflitos na cena teatral brasileira. (Silva, 2014, p. 17)

Aplicada inicialmente nos Centros Integrados de Educação Pública (Cieps) criados pelo governador Leonel Brizola no Rio de Janeiro, essa metodologia se desenvolveu durante o mandato político-teatral de Augusto Boal como vereador do Rio de Janeiro, entre 1993 e 1996 (Silva, 2017). Novamente, testemunhamos a nítida continuidade do discurso do TEN na seguinte afirmação sobre a aplicação do método em ações voltadas à questão racial:

> O teatro, como toda manifestação artística, é uma forma de representação do real, é um espelho que reflete a sociedade. E que sociedade ele espelha? O reflexo do homem negro está fora dessa imagem e precisa ser nela inserido. A poética do teatro do oprimido [...] diz que a imagem da realidade da população brasileira está distorcida. Quando a vemos em um modelo de teatro-fórum, temos a possibilidade de modificá-la. E, uma vez modificada pela vontade do oprimido, podemos trazer de volta a realidade da imagem para a realidade social [...], trazendo do teatro para a realidade a poesia da negritude. (Silva, 2014, p. 121)

Conforme observa Geo Britto (Lopes, 2015, p. 22), o Teatro do Oprimido está presente em mais de 60 países e em diversas regiões do Brasil, trabalhando com negros, mulheres, camponeses e favelados. A ênfase sobre o combate ao racismo vem crescendo ao longo de sua trajetória. O Centro do Teatro do Oprimido no Rio de Janeiro desenvolve, hoje, projetos em favelas, como as do Complexo da Maré, em que a questão racial e de gênero ocupa lugar central e prioritário. O Teatro das Oprimidas/Laboratório Madalenas se dedica a essa proposta no CTO, e as mulheres negras desse grupo criaram o Laboratório Madalenas Anastácia, para trabalhar com as diferenças na construção psicossocial que elas experimentam em relação às mulheres brancas (CTO, 2018).

Merece aprofundamento o estudo da relação entre o projeto de psicodrama do TEN e a metodologia do Teatro do Oprimido. Temos pistas sólidas e instigantes nos trabalhos de Geo Britto (Lopes, 2015) e Licko Turle (Silva, 2014; 2017). Sem dúvida, novos aspectos continuarão surgindo, à medida que o Teatro do Oprimido desenvolve sua rica e intensa atuação sociorracial, na direção apontada desde a década dos 1940 por Abdias Nascimento, Guerreiro Ramos e seus colegas no Teatro Experimental do Negro.

**REFERÊNCIAS**

ANTELO, Raul. "Ensaios críticos, vanguarda e intelectualidade: Guerreiro Ramos, o não contemporizador". *Ilha – Revista de Antropologia*, v. 18, n. 1. Florianópolis: UFSC/PPGAS, 2016, p. 15-40. Disponível em: <https://periodicos.ufsc.br/index.php/ilha/issue/viewIssue/2423/58>. Acesso em: 18 fev. 2018.

ASANTE, Molefi Kete. "Afrocentricidade: notas sobre uma posição disciplinar". In: NASCIMENTO, Elisa Larkin (org.). *Afrocentricidade, uma abordagem epistemológica inovadora* (Coleção Sankofa: Matrizes da Cultura Brasileira, v. 4). São Paulo: Selo Negro, 2009.

BENTO, Maria Aparecida da Silva. "Branqueamento e branquitude no Brasil". *Racismo institucional: fórum de debates– educação e saúde*. Belo Horizonte: UFMG, 2014. Disponível em: <http://www.cehmob.org.br/wp-content/uploads/2014/08/Caderno-Racismo.pdf>. Acesso em: 9 mar. 2016.

BOAL, Augusto. *Carta a Elisa Larkin Nascimento*. Acervo do Instituto de Pesquisas e Estudos Afro-Brasileiros, Rio de Janeiro, 2004.

CARDOSO, Lourenço; SCHUCMAN, Lia Vainer (orgs.). "Dossiê branquitude". *Revista da ABPN*, [s.l.], v. 6, n. 13, mar.-jun. 2014.

CENTRO DO TEATRO DO OPRIMIDO, página institucional, seção projeto Madalenas. Disponível em: <https://www.ctorio.org.br/home/grupos/>. Acesso em: 2 mar. 2018.

DELGADO, Richard (org.). *Critical race theory*. Filadélfia: Temple University Press, 1997.

GUERREIRO RAMOS, Alberto. "Não". *A Ordem*, Rio de Janeiro, v. 17, n. 81, 1937.

_____. "Teoria e prática do psicodrama". *Quilombo: problemas e aspirações do negro brasileiro*, Rio de Janeiro, v. 2, n. 6, fev. 1950a, p. 6-7.

_____. "Teoria e prática do sociodrama (notas)". *Quilombo: problemas e aspirações do negro brasileiro*, Rio de Janeiro, v. 2, n. 7/8, mar.-abr. 1950b, p. 9.

_____ (org.). *Introdução crítica à sociologia brasileira*. 2. ed. Rio de Janeiro: Ed. UFRJ, 1995.

"INSTITUTO Nacional do Negro". *Quilombo: problemas e aspirações do negro brasileiro*, v. 1, n. 3, Rio de Janeiro, jun. 1949, p. 11.

LOPES, Geraldo Britto [Geo Britto]. *Teatro do Oprimido: uma construção periférica-épica*. Dissertação (mestrado em Artes) – Universidade Federal Fluminense, Niterói (RJ), 2015.

MELLO, Gustavo; BAIRROS, Luíza (orgs.). *I Fórum Nacional de Performance Negra*. Salvador: Bando de Teatro Olodum/Companhia dos Comuns/Teatro Vila Velha/Funarte, 2005.

NASCIMENTO, Abdias. "I Congresso do Negro Brasileiro". Editorial. *Quilombo: problemas e aspirações do negro brasileiro*, Rio de Janeiro, v. 2, n. 5, jan. 1950a, p. 1.

_____. "Inaugurando o Congresso do Negro". Editorial. *Quilombo: problemas e aspirações do negro brasileiro*, Rio de Janeiro, v. 2, n. 10, jun.-jul. 1950b, p. 1.

_____ (org.). *Dramas para negros e prólogo para brancos*. Rio de Janeiro: Teatro Experimental do Negro, 1961.

_____ (org.). *Teatro Experimental do Negro: testemunhos*. Rio de Janeiro: GRD, 1966a.

_____. "Espírito e fisionomia do Teatro Experimental do Negro". In: NASCIMENTO, Abdias (org.). *Teatro Experimental do Negro: testemunhos*. Rio de Janeiro: GRD, 1966b. Discurso pronunciado na sede da Associação Brasileira da Imprensa no ato de instalação da Conferência Nacional do Negro, maio 1949.

_____ (org.). *O negro revoltado*. Rio de Janeiro: GRD, 1968.

_____. *Sortilégio II: mistério negro de Zumbi redivivo*. Rio de Janeiro: Paz e Terra, 1979.

_____. "Teatro Experimental do Negro: trajetória e reflexões". *Estudos Avançados*, Universidade de São Paulo, Instituto de Estudos Avançados, v. 18, n. 50, 2004, p. 209-24.

_____. *O quilombismo: documentos de uma militância pan-africanista*. 3. ed. São Paulo: Perspectiva, 2019.

NASCIMENTO, Elisa Larkin. *O sortilégio da cor: identidade, raça e gênero no Brasil*. São Paulo: Selo Negro, 2003.

_____. *Grandes vultos que honraram o Senado: Abdias Nascimento*. Brasília: Senado Federal, 2014. Disponível em: <http://ipeafro.org.br/acervo-digital/leituras/publicacoes-do-ipeafro/biografia-abdias-nascimento/>. Acesso em: 4 mar. 2018.

_____. "Cristo epistêmico". *Ilha – Revista de Antropologia*, Universidade Federal de Santa Catarina, Programa de Pós-Graduação em Antropologia Social, v. 18, n. 1, 2016, p. 83-107. Disponível em: <https://periodicos.ufsc.br/index.php/ilha/issue/viewIssue/2423/58>. Acesso em:18 fev. 2018.

inserir linha contínua, não pontilhada "Diretora do Ipeafro rebate críticas de antropólogo a movimentos negros". *Folha de S.Paulo*, Ilustríssima, 19 jan. 2018. Disponível em: <https://www1.folha.uol.com.br/ilustrissima/2018/01/1951558-diretora-do-ipeafro-rebate-criticas-de-antropologo-a-movimentos-negros.shtml>. Acesso em: 3 mar. 2018.

SANTOS, Joel Rufino dos. "O negro como lugar". In: GUERREIRO RAMOS, Alberto (org). *Introdução crítica à sociologia brasileira*. 2. ed. Rio de Janeiro: Ed. UFRJ, 1995, p. 19-29.

SILVA, Noeli Turle da [Licko Turle]. *Teatro do oprimido e negritude: a utilização do teatro-fórum na questão racial*. Brasília/Rio de Janeiro: Biblioteca Nacional/Editora E-papers, 2014.

_____. "Teatro legislativo e racismo: arte, política e militância". *Repertório*, Salvador, ano 20, n. 29, 2017, p. 146-62. Disponível em: <https://portalseer.ufba.br/index.php/revteatro/article/viewFile/25464/1558>. Acesso em: 4 mar. 2018.

# 2. A declaração final do I Congresso do Negro Brasileiro

*Maria Célia Malaquias*

Numa noite de novembro de 2004, entrei em contato com Zerka Moreno por meio de seu e-mail pessoal. Gostaria de saber se ela tinha conhecimento do trabalho de Guerreiro Ramos e de seu possível encontro com J. L. Moreno.

No amanhecer do dia seguinte, ao abrir minha caixa de mensagens, lá estava a resposta de Zerka. Emocionada, ouvi dela que Moreno estaria muito feliz com meu trabalho sobre relações raciais. No entanto, ela não tinha conhecimento de Guerreiro Ramos. E orientou-me a procurar a faculdade de Medicina em Harvard (a Harvard Medical School), pois lá estava preservado todo o acervo de Moreno.

Dez anos depois desse contato com Zerka, em agosto de 2014, tive oportunidade de ir a Boston. Sérgio Guimarães, psicodramatista e pesquisador da obra de Moreno e de Zerka, facilitou a viagem com várias dicas sobre o local exato onde eu encontraria a documentação sobre o psicodrama brasileiro em Harvard.

Assim aconteceu, numa visita rápida a Boston. Na biblioteca da faculdade, procurei a pasta do Brasil. Emoção enorme ao encontrar escritos em português com registros da história do psicodrama no Brasil, incluindo a programação do Congresso de 1970 e alguns textos de psicodramatistas brasileiros. E, entre eles, uma cópia da "Declaração final do I Congresso do Negro Brasileiro", enviada por Guerreiro Ramos para Moreno, datada de 3 de setembro de 1950. Trata-se de um documento elaborado ao final do I Congresso do Negro Brasileiro, ocorrido na cidade do Rio de Janeiro entre 26 de agosto e 4 de setembro de 1950, com o objetivo de formar uma ampla frente antirracista.

Por sua relevância histórica, passadas quase sete décadas, uma cópia da declaração enviada por Guerreiro a Moreno faz parte do presente livro. Visando facilitar a leitura, incluímos também a transcrição da declaração. A original foi datilografada e, na margem esquerda, Guerreiro Ramos escreveu à mão: "Dr. Moreno: espero que o senhor tire proveito destas recomendações do Congresso, pois todas elas se encaminham no sentido da *sociometry*".

Até onde conseguimos avançar em nossa pesquisa, os dados levantados apontam que a referida declaração foi encaminha à Unesco, com recomendações acerca da necessidade de intervir com técnicas sociátricas para tratar problemas de relações raciais no Brasil.

Para algumas perguntas ainda não temos respostas. Por exemplo: Guerreiro Ramos aprendeu psicodrama como Moreno ou foi autodidata? Os dados que encontramos sugerem a segunda possibilidade, pois Guerreiro Ramos era estudioso e autodidata em várias áreas do conhecimento. Pesquisadores de sua obra, como o professor Muryatan Santana Barbosa, defendem que ele continuou trabalhando com psicodrama nos Estados Unidos no período em que esteve exilado (após o golpe militar de 1964). No entanto, a pesquisa carece de aprofundamentos. Certamente ainda há muito a ser descoberto.

> **Declaração final do I Congresso do Negro Brasileiro**
>
> Os negros brasileiros, reunidos no seu primeiro congresso de âmbito nacional, promovido pelo Teatro Experimental do Negro, identificados com os destinos de sua pátria em todas as suas vicissitudes, como elemento integrante e solidário do povo, e no desejo de se confundirem cada vez mais nesse todo de que são parte, declaram:
>
> O abandono a que foi relegada depois da abolição e a estrutura econômica e social do país são as causas principais das atuais dificuldades da camada de cor da nossa população. Os problemas do negro são apenas um aspecto particular do problema geral do povo brasileiro, de que não será possível separá-los sem quebra da verdade histórica e sociológica. Desta maneira, considera este Congresso necessário, a fim de remediar tal situação, o desenvolvimento do espírito associativo da gente de

cor, a ampliação das facilidades de instrução e de educação técnica, profissional e artística, a proteção à saúde do povo e, em geral, a garantia de oportunidades iguais para todos na base da aptidão e da capacidade de cada qual.

O Congresso recomenda especialmente,

a) o estímulo ao estudo das reminiscências africanas no país, bem como dos meios de remoção das dificuldades dos brasileiros de cor e a formação de institutos de pesquisas, públicos e particulares, com esse objetivo;

b) a defesa vigilante da sadia tradição nacional de igualdade entre os grupos que constituem a nossa população;

c) a utilização de meios indiretos de reeducação e de desrecalcamento em massa e de transformação de atitudes, tais como o teatro, o cinema, a literatura e outras artes, os concursos de beleza, e técnicas de sociatria;

d) a realização periódica de Congressos culturais e científicos de âmbito internacional, nacional e regional;

e) a inclusão de homens de cor nas listas de candidatos das agremiações partidárias, a fim de desenvolver a sua capacidade política e formar líderes esclarecidos, que possam traduzir, em formas ajustadas, as tradições nacionais, as reivindicações das massas de cor;

f) a cooperação do governo, através de medidas eficazes, contra os restos de discriminação de cor ainda existentes em algumas repartições oficiais;

g) o estudo, pela Unesco, das tentativas bem-sucedidas de solução efetiva dos problemas de relações de raças, com o objetivo de prestigiá-las e recomendá-las aos países em que tais problemas existem;

h) a realização, pela Unesco, de um Congresso Internacional de Relações de Raças, em data tão próxima quanto possível;

O Congresso condena, veementemente, considerando ameaças à tranquilidade da família brasileira:

a) a exploração política da discriminação de cor;
b) as associações de cidadãos brancos ou negros organizadas sob o critério do exclusivismo racial;
c) o messianismo racial e a proclamação da raça como critério de ação ou como fator de superioridade ou inferioridade física, intelectual ou moral entre os homens;
d) os processos violentos de tratamento dos problemas suscitados pelas relações interétnicas.

Para a boa execução destas medidas, torna-se necessária a vigência das liberdades públicas asseguradas pela Constituição. E, para vencer o despreparo com que as massas negras foram introduzidas na vida republicana depois da abolição e dar-lhes os estilos de comportamento do cidadão numa democracia, recomenda este Congresso o apoio oficial e público a todas as iniciativas e entidades que visem a adestrar os brasileiros de cor para maior, mais rica e mais ativa participação na vida nacional.

Rio de Janeiro, 3 de setembro de 1950.

[1950]

DECLARAÇÃO FINAL
DO I CONGRESSO DO NEGRO BRASILEIRO

Os negros brasileiros, reunidos no seu primeiro Congresso de âmbito nacional, promovido pelo Teatro Experimental do Negro, identificados com os destinos de sua patria em todas as suas vicissitudes, como elemento integrante e solidário do povo, e no desejo de se confundirem cada vez mais nesse todo de que são parte, declaram

O abandono a que foi relegada depois da abolição e a estrutura econômica e social do país são as causas principais das atuais dificuldades da camada de cor da nossa população. Os problemas do negro são apenas um aspeto particular do problema geral do povo brasileiro, de que não sen possível separá-los sem quebra da verdade histórica e sociológica. Desta maneira, considera este Congresso necessário, a fim de remediar tal situação, o desenvolvimento do espírito associativo da gente de cor, a ampliação das facilidades de instrução e de educação técnica, profissional e artística, a proteção à saude do povo e, em geral, a garantia de oportunidades iguais para todos na base da aptidão e da capacidade de cada qual.

O Congresso recomenda, especialmente:
a) o estímulo ao estudo das reminiscencias africanas no país bem como dos meios de remoção das dificuldades dos brasileiros de cor e a formação de institutos de pesquisas, públicos e particulares, com esse objetivo;
b) a defesa vigilante da sadia tradição nacional de igualdade entre os grupos que constituem a nossa população;
c) a utilização de meios indiretos de reeducação e de desrecalcamento em massa e de transformação de atitudes, tais como o teatro, o cinema, a literatura e outras artes, os concursos de beleza, e tecnicas de sociatria;
d) a realização periódica de Congressos culturais e científicos de âmbito internacional, nacional e regional;
e) a inclusão do homem de cor nas listas de candidatos das agremiações partidárias, a fim de desenvolver a sua capacidade política e formar leaders esclarecidos, que possam traduzir, em formas ajustadas às tradições nacionais, as reivindicações das massas de cor;
f) a cooperação do governo, atraves de medidas eficazes, contra os restos de discriminação de cor ainda existentes em algumas repartições oficiais;
g) o estudo, pela UNESCO, das tentativas bem-sucedidas de solução efetiva dos problemas de relações de raças, com o objetivo de prestigiá-las e recomendá-las aos países em que tais problemas existem;
h) a realização, pela UNESCO de um Congresso Internacional de Relações de Raças, em data tão proxima quanto possível.

O Congresso condena, veementemente, considerando ameaças à tranquilidade da família brasileira:
a) a exploração política da discriminação de cor;
b) as associações de cidadãos brancos ou negros organizadas sob o critério do exclusivismo racial;
c) o messianismo racial e a proclamação da raça como critério de ação ou como fator de superioridade ou inferioridade física, intelectual ou moral entre os homens;
d) os processos violentos de tratamento dos problemas suscitados pelas relações inter-étnicas.

Para a boa execução destas medidas, torna-se necessária a vigência das liberdades públicas asseguradas pela Constituição. E, para vencer o despreparo com que as massas negras foram introduzidas na vida republicana depois da abolição e dar-lhes os estilos de comportamento do cidadão numa democracia, recomenda este Congresso o apoio oficial e público a todas as iniciativas e entidades que visam a adestrar os brasileiros de cor para maior, mais rica e mais ativa participação na vida nacional.

Rio de Janeiro, 3 de setembro de 1950.

# 3. Escritos diversos em torno do psicodrama

*Alberto Guerreiro Ramos*

**UMA EXPERIÊNCIA DE GRUPOTERAPIA**[1]

A Conferência Nacional do Negro, que se encerrou há pouco nesta capital, embora fosse coroada de absoluto sucesso, passou despercebida a muita gente.

Muitos resultados serão colhidos deste certame, de construtiva influência na vida brasileira. Nesta oportunidade, porém, desejo assinalar apenas um aspecto, que julgo de capital importância e que caracteriza o movimento do Teatro Experimental do Negro como uma das iniciativas de maior gravidade e profundidade na vida cultural do país.

Com efeito, quem se der ao trabalho de ler o discurso com o qual o senhor Abdias Nascimento instalou aquele conclave verificará que o conhecido líder descobriu uma pista jamais suspeitada entre nós, ou seja, a de pelo teatro adestrar os homens de cor nos estilos de comportamento de classe média e superior. Retoma, assim, este negro a significação original do teatro como processo catártico, numa poderosa intuição artística e sociológica.

Com este achado, consegue Abdias Nascimento transformar a luta de classe num processo de cooperação, fazendo de seu trabalho um fator de equilíbrio e de compreensão social de inestimável importância.

Não estamos, pois, diante de mais um explorador da ignorância das populações de cor. Definindo o Teatro Experimental do Negro como um "experimento psicossociológico", o seu criador faz lembrar o famoso Grupo de Oxford com os seus intentos de renascença religiosa e o grupo francês de L'Ordre Nouveau, inspirado pelo saudoso filósofo

---

[1] Publicado em: *Quilombo: vida, problemas e aspirações do negro*, n. 4, p. 7, jul. 1949.

Arnaud Dardieu e também orientado para a reconstrução social através da pessoa humana.

Não há, é prudente observar, uma semelhança de espécie entre o TEN e os movimentos europeus anteriormente citados, mas, tão somente, uma semelhança formal, ou de métodos.

A técnica social do TEN pode ser chamada de grupoterapia. Ela encontra similar na técnica do *psicodrama* e do *sociodrama* de J. L. Moreno, que dirige dois teatros psicoterapêuticos em Beacon Hill e em Nova York. O TEN não é orientado truculenta e agressivamente contra o preconceito de cor. Ao contrário, proclama, pela palavra de seu criador, não ser esta a tática acertada a ser usada em "nossa" questão racial, tão diferente da norte-americana. Ele é um campo de polarização psicológica, onde o homem encontra oportunidade de eliminar as suas tensões e os seus recalques.

A própria Conferência Nacional do Negro foi presidida por esta orientação. Nela se reuniram brancos como o senhor Paul Shaw, representante da ONU, o professor Arthur Ramos, o professor Roger Bastide, o professor Castro Barreto, a senhorita Elza Soares Ribeiro, o doutor Cumplido Santana, o professor Ronald Hilton e vários outros, e homens de cor, como Ironildes Rodrigues, Guiomar Ferreira de Matos, Maria Nascimento, Isaltino, Pompílio, Aldemário, Romão, Ruth de Souza, Rodrigues Alves e outros.

Todas as assembleias da Conferência nada mais foram que experiências grupoterápicas. E, para confirmá-lo, seja-me permitido assinalar algumas situações que ali ocorreram.

Um conferencista negro manifesta a opinião de que os negros devem pedir ao governo, ou construir uma espécie de Casa do Negro. Vários homens de cor combatem a ideia, mostrando que os homens de cor devem viver nas próprias associações dos brancos, e a assembleia compreende que o que se propunha equivaleria à criação de quistos e divisionismos na sociedade brasileira.

Outro orador afirma que a finalidade da Conferência deveria ser protestar contra o preconceito de cor e pergunta à mesa se esta não entende assim. Responde um membro da mesa que não: que a Conferência tinha um sentido positivo e considerava secundária a questão do preconceito de cor. Forma-se na assembleia um ambiente de estupefação e de choques potenciais. Alguém, na mesa, entretanto, encontra um recurso terapêutico e diz: "Esta é a orientação da mesa; a assembleia, entretanto, é soberana e pode pensar como quiser".

Dois ou três oradores levantam-se para acusar o mulato e o negro de classe superior como adversários e até inimigos dos negros de classe inferior. Travam-se vários debates e, por fim, a assembleia compreende ser este um fenômeno natural de luta de classes e não uma questão racial.

É necessário observar que estas tantas e outras discussões foram sofridas pelos participantes da Conferência, sempre pródigos em depoimentos pessoais.

Sem dúvida, os que participaram da Conferência Nacional do Negro saíram dela melhores do que nela entraram.

## TEORIA E PRÁTICA DO PSICODRAMA[2]

Até hoje o drama diz respeito, em sua acepção comum, às peças elaboradas para serem representadas num palco. Todavia, um exame mais acurado do conceito, à luz de recentes resultados da psicologia social e da sociologia, torna imperativo redefinir o drama, reivindicar para o termo um significado mais amplo.

De fato, o comportamento social do homem não é inato. É um sistema de papéis que têm de ser aprendidos e que devem ser inculcados ao recém-nascido. O comportamento social de uma abelha, de uma formiga, de um térmita lhe é dado pronto pela espécie. O homem, porém, não recebe já elaborado da espécie um equipamento de papéis sociais. Para participar da comunidade social tem de aprender, através de ensaios e erros, os papéis sociais, os quais, integrados em sistema, constituem a sua personalidade. A vida social é, pois, representação, e o drama é consubstancial e coextensivo à sociedade.

---

[2] Publicado originalmente em: *Quilombo: vida, problemas e aspirações do negro*, v. 6, fev. 1950, p. 6-7.

A essência da sociedade é o drama, a convenção, concluíram a psicologia e a sociologia moderna, revelando, assim, possibilidades quase ilimitadas de modelação deliberada da vida social e de autoinstrumentalização da personalidade humana, como queria Novalis. E as ilustrações mais espetaculares da efetividade do conceito convencional ou dramático da sociedade são as planificações postas em prática na Rússia, na Alemanha e na Itália, os modernos processos de direção e de manipulação da opinião pública e de formação de pressão social, postos em prática nos países democráticos, especialmente nos Estados Unidos, a conduta ideológica, a psiquiatria etc.

O teatro é, assim, uma forma particularíssima do drama. Muitas outras existem, entre as quais o solilóquio, o sociodrama, o psicodrama.

Foi o sociólogo e médico austríaco J. L. Moreno quem mais decisivamente contribuiu para a nova interpretação do significado do drama, e grande parte deste ensaio inspira-se em sua obra numerosa.

Nesta oportunidade será exposta a teoria e a prática do psicodrama.

O psicodrama é, ao mesmo tempo, um método de análise das relações humanas e um processo de terapêutica psicológica. Aliás, ordinariamente, é difícil separar o intuito analítico do intuito terapêutico.

Realiza-se o psicodrama com a pessoa ou as pessoas que constituem objeto de análise e os *eus auxiliares*, que são outras pessoas que fazem os papéis das que estão ausentes. Suponhamos que se deseja realizar um psicodrama para analisar um conflito entre um indivíduo A e seus pais B e C. A situação pode ser configurada no palco fazendo A o papel real de filho e duas outras pessoas os papéis de B e C, depois de receberem de A ou de outrem informações acerca de B e C.

O palco representa a miniatura da sociedade, em que se materializa o problema psicológico. Na psicanálise, o caso é exposto apenas de modo verbal. No psicodrama, se concretiza efetivamente a constelação de relações de que o indivíduo é participante. A análise deste tipo opera com elementos mais numerosos e fidedignos do que os colhidos na hipótese, no narcossíntese e na psicanálise. Por outro lado, enseja-se, aí, ao paciente, a possibilidade de lutar não apenas na dimensão imaginária e verbal, mas em todas as dimensões, com seus temores e ansiedades.

O paciente, no palco, pode ser treinado num novo papel ou numa nova conduta. Sua readaptação é obtida aí, e a confiança que ele aí adquire, observa Ernest Fantel, pode ser transportada para a vida real.

A representação pelo paciente e os egos-auxiliares dos aspectos fundamentais do problema psicológico introduz o analista na compreensão da situação efetiva do paciente, e é na base desta compreensão que se poderá realizar a terapêutica.

É, porém, a catarse o mecanismo fundamental do psicodrama. Daí o motivo por que Aristóteles deve ser considerado o precursor do método psicodramático. Foi o filósofo grego quem descobriu que a tragédia, pela compaixão e pelo terror, provoca uma libertação própria a tais emoções. E identificou esta espécie de libertação interior com a palavra *catarse*, metáfora poética tirada da medicina da qual era curioso, observa Pero de Botelho em seu pequeno mas excelente *Tratado da mente grega*. (Aliás, Aristóteles pressentiu também a psicomúsica, quando, numa passagem de sua *Política*, se referiu aos "cantos purificadores".)

Skakespeare foi, entretanto, mais além do que Aristóteles. Numa de suas tragédias, *Hamlet*, o seu herói imagina um verdadeiro psicodrama, como expediente para analisar as emoções do rei e da rainha da Dinamarca e levá-los à experiência do remorso pelos seus crimes, ou seja, a uma purgação psicológica.

A ideia psicodramática se delineia, em Hamlet, depois de ter ouvido o fantasma de seu pai, cuja narração salienta este trecho capital:

> Enquanto dormia no meu jardim, era esse o meu costume todas as tardes; teu tio, aproveitando a minha inconsciência, aproximou-se de mim, munido de um frasco de meimendro, e lançou-me num ouvido o conteúdo. É um veneno tão ativo para o sangue humano que, com a sutileza do mercúrio, corre e se infiltra em todos os canais, em todas as veias, coalhando e alterando o sangue pela sua ação enérgica: o mais puro e límpido não lhe resiste, é como uma gota de qualquer ácido numa taça de leite, tal foi o seu efeito, que uma lepra instantânea cobriu meu corpo de uma crosta impura e infeta. Eis como, durante o meu sono, tudo me foi arrebatado de uma vez, e pela mão de um irmão, vida, coroa e consorte.

A narração da *Sombra* introduz Hamlet num mundo de dúvidas e hesitações. Ele se pergunta se a *Sombra* não será uma ilusão ou obra do demônio; por outro lado, não vê claramente a maneira de vingar o assassinato do pai. Neste estado de espírito é que Guildenstern lhe fala dos atores ambulantes que encontrara no caminho. A ideia do psicodrama, concebe-a Hamlet durante a primeira representação dos atores ambulantes. Quando esta termina e os atores estão retirando-se, chama um deles e encomenda-lhes uma encenação da morte de Gonzaga. Sozinho, na sala, expõe a si mesmo a sua ideia com toda clareza:

> Ouvi dizer que criminosos assistindo a representações dramáticas de tal modo se perturbavam vendo a sua culpa em cena que, espontânea e imediatamente, fizeram confissão de seu crime, porque o assassino, embora mudo, trai-se e fala. Quero que os atores representem na presença de meu tio a morte de meu pai, observarei as suas feições, sondarei as suas impressões; se se perturbar, sei o que me cumpre fazer. O espírito que me apareceu talvez seja um demônio, porque pode revestir-se da forma de um objeto amado, tem poder sobre as almas melancólicas, e quem sabe se na minha fraqueza e dor acha os meios para me perder, condenando-me para sempre. Quero ter a certeza; o drama em questão será o *laço armado à consciência* do rei.

Hamlet é descrito na cena 11 do Terceiro Ato como um verdadeiro líder psicodramático. As instruções que ele dá a seu amigo Horácio e a sua própria atitude durante o espetáculo encontram similares nas práticas atuais levadas a termo em teatros terapêuticos. Para comprová-lo, leia-se todo o diálogo entre Hamlet e Horácio, momentos antes de começar a pantomima: "Tu observa-o atentamente", diz o herói a Horácio (referindo-se ao rei, seu tio), "eu não o perderei de vista; depois, juntando os nossos juízos, concluiremos conforme ao que vimos".

Skakespeare assim descreve a pantomina:

> Soam os clarins, começa a pantomima. Um rei e uma rainha entram em cena, o seu aspecto é de namorados, abraçam-se. A rainha ajoelhada aos

pés do rei, mostrando pelos seus gestos que lhe protesta o mais vivo amor. O rei levanta-a e inclina a cabeça sobre o seu ombro; depois deita-se num banco coberto de flores. A rainha, vendo-o adormecido, sai. Aparece um personagem que lhe tira a coroa e a leva aos lábios, lança veneno num ouvido do rei e sai em seguida. Volta a rainha, acha o rei morto e dá mil sinais de desespero. O envenenador, seguido por duas ou três pessoas, chega e parece lamentar-se com a rainha. O envenenador requesta a rainha, dá-lhe presentes. Ela mostra a princípio repugnância, mas acaba por aceitar o amor oferecido. (Saem)

Este enredo que se representa numa sala do castelo de Elsenor é, realmente, como quer o seu idealizador, "um laço armado ao crime". Nele aparecem os *eus auxiliares* do pai de Hamlet, do rei e da rainha. Os pacientes assistem ao seu psicodrama, entre os espectadores. Quando o rei, no meio da representação, já inquieto com o desfecho da peça, depois de perguntar a Hamlet se ela nada contém de repreensível, indaga o seu título, o herói responde: "*O laço*, já se sabe, por metáfora".

O clímax da função é atingido quando um ator recita:

O pensamento negro, o braço bem-disposto,
A droga preparada, a hora favorável,
Cúmplice a ocasião, a ver nem um só rosto,
Mistura infecta e imunda, extrato abominável
De peçonhenta sarça à meia-noite achada,
Três vezes poluída e três envenenada
D'Hecate à maldição; possa a tua virtude
Fechar uma existência e abrir um ataúde.
(Deita veneno num ouvido do rei adormecido)

É neste momento que Ofélia exclama para Hamlet: "O rei levantou-se". De fato, não suportando o que hoje chamaríamos de choque terapêutico, o rei, em pé, ordena, depois de o cortesão Polônio ter determinado que cessasse a peça: "Tragam luzes. Saiamos".

O choque deflagra no rei e na rainha o processo de purgação psicológica. Sozinho, o rei diz esta frase que revela indisfarçavelmente sua ambivalência interior: "Pareço um homem que duas ocupações reclamam, e que não sabendo por qual optar, não escolhe nenhuma". E na cena IV do Terceiro Ato, que se passa num quarto do castelo, a rainha, ao ser acusada com veemência pelo filho, interrompe-o: "Oh! Hamlet, cessa, por piedade; obrigas o meu olhar a volver-se todo para a minha alma, e nela descubro máculas tão negras e tão profundamente impressas que nada já as pode lavar".

A tragédia de Shakespeare é, portanto, uma espetacular demonstração dos poderes terapêuticos do drama. A moderna prática do psicodrama firma-se no mesmo princípio em que se baseou Hamlet. Apresenta, entretanto, aspectos organizacionais que lhe dão maior eficácia que as peças teatrais.

No atual psicodrama, a operação catártica se transporta do auditório para o palco. Como no drama primitivo, no psicodrama não há diferenciação entre ator e espectador. O paciente representa no palco o seu próprio psicodrama e experimenta uma catarse em três dimensões, como criador do seu próprio drama, como ator e, ao mesmo tempo, como espectador.

Distingue também o psicodrama de peça teatral comum o fato de que o primeiro não é o que J. L. Moreno chama de "conserva cultural". O psicodrama não é uma obra pré-realizada, destinada a ser executada no palco segundo determinações preestabelecidas. O psicodrama é improvisado e não submete os que o executam senão à sua espontaneidade, permitindo surpreender as emoções em seu estado nascente. É uma forma de teatro da espontaneidade *stegreiftheater* ou *impromptu theatre*.

No Seminário de grupoterapia que estou realizando no Instituto Nacional do Negro, tive a oportunidade de fazer algumas demonstrações públicas de psicodrama. Numa delas, depois de expor o que era o novo método, pedi que alguém da audiência me apresentasse um problema psicológico para psicodramatizar. Um jovem se me apresentou. Disse-me que tinha aversão pelo seu pai, com o qual não vivia há muito tempo e de quem mesmo não tinha notícias. A razão de sua aversão era o mau tratamento que o seu pai dispensou sempre à sua mãe e ao jovem.

Como a sessão tinha um caráter mais acadêmico ou informativo do que terapêutico, aproveitei o ensejo para mostrar aos participantes do seminário o psicodrama, como método de análise das relações humanas.

Depois de fazer algumas perguntas ao jovem a fim de me certificar da sinceridade de suas disposições, pedi-lhe que descrevesse para uma moça que escolhi para fazer o papel de *eu auxiliar* o tipo de sua mãe e também que narrasse a última cena chocante que presenciou entre seus pais.

A meu pedido, ainda, o jovem dispôs os móveis sobre o palco de maneira a dar uma ideia do aposento de sua casa onde a cena real se desenrolara.

Isto posto, iniciou-se o psicodrama. O *eu auxiliar* (a mãe) sentado numa cadeira. Entra o jovem, fazendo o papel de seu próprio pai. Assiste-se a uma troca de insultos e imprecações. Aquela curta representação foi o necessário para introduzir a audiência na compreensão da matriz dos sentimentos do jovem voluntário.

Um outro aspecto da vida do jovem foi psicodramatizado. A cena foi a seguinte. O pai do jovem (um *eu auxiliar*) chega da rua e é informado pelo filho de que na vizinhança suspeitavam de que tenha sido ele o autor de um furto. O pai avança para o menino e diz-lhe:

— Foi você mesmo quem roubou, seu moleque!
— Não foi, papai!
— Não minta, moleque.
— Não estou mentindo papai, não fui eu.
— Moleque sem-vergonha, já lhe disse que não quero ver você com esses vagabundos da vizinhança. Passa o dia com eles e só aprende a roubar. Vagabundo!
(E avança para o menino como quem vai bater)
— Papai (diz o jovem quase chorando e temeroso), o senhor não vai me bater...
(O pai avança para o menino e o espanca)

A cena foi tão convincente e sincera que a audiência prorrompeu em palmas entusiásticas. Tais manifestações fogem à natureza do psicodrama. Ali, porém, eu estava fazendo uma demonstração. Tratava-se de um seminário em que todos procurávamos aprender. O que ocorreu quase valeu apenas como uma ilustração da palestra. Ainda assim, fiz uma rápida análise do psicodrama e, como a audiência não se dispunha a discutir comigo os casos apresentados (há duas horas que estávamos numa sala), encerrei a sessão.

O psicodrama é um método de análise das relações humanas que lança suas raízes na tradição europeia (sobretudo dramática e poética) e supera os quadros do provincialismo da sociologia americana (ao qual recentemente se referiu Robert K. Nerton). O líder psicodramático tem de ser sociólogo e poeta.

## APRESENTAÇÃO DE GRUPOTERAPIA[3]

*"O homem deve tornar-se um autoinstrumento perfeito e total."*

(Novalis)

*O Instituto Nacional do Negro, que é o departamento de pesquisa e estudos do Teatro Experimental do Negro, inaugurou no dia 19 de janeiro, no 3º andar da ABI – dependência do Serviço Nacional de Teatro –, o seu novo órgão, o Seminário de Grupoterapia. Presentes uma assembleia constituída de elementos do TEN, estudiosos dos problemas da gente de cor, intelectuais e escritores, proferiu a aula inaugural o professor Guerreiro Ramos, sociólogo de renome e diretor do INN. Dados o grande interesse despertado e a importância de que se reveste a experiência desse Seminário que vai apresentar pela primeira vez no Brasil representações de psicodramas e sociodrama, publicamos abaixo o resumo da aula inaugural do professor Guerreiro Ramos.*

---

[3] Publicado originalmente em: *Quilombo: vida, problemas e aspirações do negro*, n. 5, p. 6, jan. 1950.

No fim do século XVIII, iniciou-se na Europa um dos períodos de mudança social dos mais radicais que se conhece. Tal transição adestrou alguns espíritos lúcidos numa nova concepção da sociedade, isto é, numa concepção que procurava ser tanto quanto possível científica.

Saint-Simon (1760-1825) imaginou uma "físico-política" cujo objetivo seria a direção científica da sociedade. Ele é, assim, um percursor dos estudos atuais sobre planificação.

Saint-Simon, porém, preocupou-se quase exclusivamente com o aspecto social da transição. Foram, sobretudo, Charles Fourier (1771--1837) e Robert Owen (1771-1857) que, na mesma época, focalizaram os aspectos psicológicos da mudança social.

O primeiro percebeu nitidamente que a sociedade de seu tempo se tornara arcaica, uma espécie de camisa de força imposta aos seus contemporâneos. Haveria, segundo o filosofo francês, um desacordo fundamental entre as instituições e a natureza humana. Para corrigi-lo, concebeu um plano de reconstrução da sociedade, cuja peça principal era o "falanstério", espécie de ambiente ideal para a criatura humana no qual as "paixões" (assim ele chamava os impulsos naturais do homem) "desfrutando de perfeita liberdade poderiam combinar harmoniosamente e funcionar em benefício da sociedade".

Robert Owen é também autor de um plano de sociedade racional que ele expõe em sua obra *A new view of society*. Salientou o socialista inglês que o caráter do homem é pré-fabricado pelos seus predecessores. Suas ideias, hábitos, crenças são preestabelecidos pela tradição. A esse fato imputa os males de sua época e afirma o princípio revolucionário de que, através da manipulação das circunstâncias, é possível governar e dirigir a conduta humana.

Estes dois homens são, na minha opinião, dois "faróis", na acepção baudelaireana do termo. Deles se desprendem as correntes de pensamento que vão tomar na ciência do ajustamento social que se poderá chamar de sociatria ou de *sociometria*, com J. L. Moreno.

Ambos formularam diagnósticos corretos. Não encontraram, porém, uma terapêutica acertada, um método efetivo de resolução do problema social fundamental de seu tempo – o desajustamento entre a estrutura da sociedade e a natureza humana. Imaginaram que seria possível a transformação da sociedade mediante uma espécie de operação cirúrgica, mediante um ato de heroísmo e de renúncia das classes dominantes. Não contaram com os interesses investidos, nem com a inércia emocional com que se me esbarra toda tentativa deliberada de mudança social. Por essa razão é que eles foram "utópicos".

A sociedade passa do estado do utópico para o estado científico quando descobre processos não heroicos de ajustamento psicológico.

A psicanálise representa o início da fase científica da sociatria. Entretanto, a deformação profissional do seu criador o induziu a erros graves, o principal dos quais é a confusão do biológico com o social, confusão que só recentemente foi inteiramente desfeita, especialmente graças aos esforços do médico e sociólogo austríaco Jacob L. Moreno, criador da *sociometria*.

Se eu fizer um balanço do que resultou de positivo dos trabalhos de Charles Fourier e Robert Owen, encontrar-se-ão as seguintes conclusões:

1. a de que o ajustamento do homem às instituições impõe certa distorção de seus impulsos genuínos;
2. a de que o caráter social do homem não é um tributo fixo e imutável;
3. a de que é possível transformar o caráter social do homem através da manipulação indireta das circunstâncias e, portanto, uma terapêutica do desajustamento.

Em resumo, Fourier e Owen abriram a pista da patologia da normalidade e da técnica sociológica de eliminação das tensões emocionais. O tema da patologia da normalidade é complexo e impõe um desenvolvimento.

Para que um homem se torne socialmente "normal", isto é, integrado na sociedade, é necessário que adquira um caráter que o faça *agir* e *querer* como *agem* e *querem* os outros membros da sociedade (Erich Fromm). Nestas condições o homem aprende a ser normal, por assim dizer, como se aprende a tocar piano. A aquisição da normalidade ocorre, porém, às custas de um certo sacrifício da originalidade, da espontaneidade e da liberdade do ser humano.

Quando Auguste Comte disse que os mortos dirigem cada vez mais os vivos, pôs dedos neste problema de automutilação que cada homem se impõe a fim de encaixar-se no sistema social. A educação é, em boa parte, um treinamento que objetiva "reduzir a independência e a liberdade do indivíduo até o nível necessário à existência social". Rainer Maria Rilke disse que ela consiste em substituir os dons por lugares-comuns.

Nestas condições, cada ser humano socialmente ajustado, por mais perfeita que seja a sociedade em que se encontre, é vítima de um déficit de espontaneidade. Na verdade, o homem é um grande consumidor de "conservas culturais". Quase todo seu comportamento é uma reprodução de *moldes* ou *respostas* conservadas, *moldes* ou *respostas* que ele não elaborou livremente, que lhe foram legados pelos *mortos*, como insinuava Auguste Comte.

A normalidade implica, portanto (Erich Fromm):

1. o enfraquecimento ou a paralisia da originalidade ou da espontaneidade da pessoa;
2. a substituição do "eu" genuíno por um "pseudo-eu" como a soma total das expectativas dos outros a meu respeito;
3. a substituição da autonomia pela heteronomia.

É preciso advertir que mostrar o aspecto patológico da normalidade não implica fazer apologia da anormalidade. Antes de a psicologia social de nossos dias focalizar a sua atenção sobre esse problema, já um poeta cristão, Charles Péguy, o tinha entrevisto, quando verberava aqueles que "pensam por pensamentos feitos, querem por vontades feitas e sentem por sentimentos feitos", e mais precisamente quanto afirmava: "há uma coisa pior do que uma alma perversa: é uma alma habituada".

A investigação da patologia da normalidade ou da "conserva cultural", como quer J. L. Moreno, indica a necessidade de descobrir um processo que torne possível a integração social do homem, com o mínimo possível de economia de sua espontaneidade, e, ainda, um processo de treinamento da espontaneidade naqueles que a perderam.

A diminuição do déficit da espontaneidade através de processos terapêuticos não é, aliás, uma prática recente. Aristóteles reconheceu um destes processos no que chamou de *catarsis*. Em sua *Poética*, escreveu o filosofo: "A função da tragédia é produzir nos espectadores, através do medo e da compaixão, a libertação de tais emoções". Também a poesia, a capacidade de ver as coisas como se fosse pela primeira vez, tem sido sempre adquirida através de um processo de treinamento da espontaneidade, ilustram-no os Hoelderlin, os Novalis, os Rimbaud, os Rilke, os Murilo Mendes, os Carlos Drummond de Andrade.

A grupoterapia lança suas raízes nesta tradição. Ela é a cultura da espontaneidade, um processo sociológico de purgação de conservas culturais.

## TEORIA E PRÁTICA DO SOCIODRAMA[4]

> *[...] denn schon das frühe Kind wenden*
> *wir um und zwingens, dass es rückwärts*
> *Gestaltung sehe [...].*[5]
> (Rilke)

Estamos tão acostumados a admitir que a personalidade é uma esfera vital distinta da sociedade que, a custo, percebemos que ela não é uma condição necessária da existência humana. Quanto mais remontamos aos estágios originários da sociedade, mais claramente verificamos a impossibilidade de distinguir o pessoal do social. O homem só adquire a consciência de sua personalidade num estágio avançado da evolução social. Sua primeira visão do mundo não foi obra sua, mas elaborada pela tradição. Aderido a esta, o seu eu era um produto inteiramente

---

[4] Publicado originalmente em: *Quilombo: vida, problemas e aspirações do negro*, n. 7/8, mar./abr. 1950, p. 9.
[5] "[...] desde pequena, levamos a criança a olhar para trás e obrigamo-la a ver a Forma [....]". Rilke, "Oitava elegia". [N. E.]

configurado pela sociedade. A posse do indivíduo pela sociedade, em suas etapas iniciais, é tão profunda que, como mostrou recentemente Hans Kelsen (*Society and nature*), a própria natureza permanece incorporada ao domínio do social. O primitivo é monista, não faz distinção entre a sociedade e a natureza.

A emergência da personalidade é condicionada por situações históricas especiais. Enquanto a sociedade é capaz de dar todo o sentido à existência de cada um dos seus membros, a percepção de uma experiência individual independente é obscura. Neste caso, é que o indivíduo poderia dizer com Bastian: "Eu não penso, pensam em mim". O indivíduo, nesta fase, é incapaz de subsistir como tal e, se o grupo, a tribo ou, mais sociologicamente, a horda for destruída por um cataclismo ou por uma guerra, ele também sucumbe. A história da invasão do Império Romano registra casos desta espécie.

A consciência da personalidade é correlata a um certo mal-estar na cultura. Implica a perturbação do equilíbrio entre o indivíduo e a sociedade, o enfraquecimento do poder coercitivo da tradição e, ainda, a passagem de uma etapa de isolamento a outra, em que os contatos se multiplicam em número e espécie.

O despertar da personalidade se registra, no Ocidente, a partir do fim do século XVIII, na Itália, pois até então a consciência, com as suas duas faces – a que "olha o mundo e a que olha o interior do homem" –, estava "recoberta por um véu, vivendo em sonho, em estado de meia vigília". O homem, observa Jacob Burkhardt, só se reconhecia como raça, povo, partido, corporação, família etc., isto é, em uma ou outra forma do universal.

Émile Durkheim foi um dos primeiros sociólogos que trataram deste tema. Seu livro *A divisão do trabalho social* contém uma teoria explicativa do advento da personalidade. Uma das contribuições mais válidas desta obra são as categorias de solidariedade orgânica e solidariedade mecânica.

A solidariedade mecânica resulta da semelhança psicológica entre os indivíduos, dentro de um mesmo espaço social. É à sua custa que as sociedades primárias e isoladas ganham consistência.

Nelas, a vida do *socius* transcorre conforme padrões já elaborados, de modo que o que resta para a iniciativa individual é praticamente pouco significativo. Para resolver os limitados problemas que se apresentam ao homem, basta recorrer a soluções já prontas.

À medida que a sociedade se torna complexa, geralmente em virtude de romper-se aquele isolamento em que permanecia e, portanto, de cada vez mais depender de contatos com outras sociedades, aparecem os estímulos à iniciativa individual. Tornam-se importantes as soluções novas e mais estimados aqueles *socius* capazes de inventar e oferecer contribuições eficazes à conservação do grupo. A este fato junta-se ainda o da divisão do trabalho social, que, quando muito extensa, conduz à perda da visão unitária da sociedade e à preponderância de solidariedade orgânica, isto é, baseada na heterogeneidade das condutas. Nestas épocas, o indivíduo adquire, pela primeira vez, a consciência de que tem um destino, de que deve planejar sua existência para subsistir. Ocorre, então, que se passa a valorizar tanto as diferenças como as uniformidades e que o indivíduo procura instrumentalizar a sociedade, pondo-a a serviço de sua expressão e de seus interesses.

O drama da personalidade consiste em que, de um lado, ela quer realizar uma missão, uma vocação, um destino único; e, de outro lado, encontra estilos sociais organizados na suposição da identidade fundamental de todos os homens. Em nossos dias, ainda que a sociedade procure diminuir esta fricção, tomando, através do Estado e de outras instituições (orientação profissional, *child guidance*, clínica de comportamento etc.), a iniciativa de ajustar os seus membros às suas exigências, a realização singular do destino humano continuará sempre problemática.

Na criação literária, por exemplo, a tensão entre o individual e o social é patente.

O artista tem de exprimir sua visão pessoal do mundo usando significados socialmente definidos. A solução, para o artista, é utilizar as palavras como máscaras. Elas estão ali no papel, mas como senhas, seu sentido convencional servindo como disfarce ou cobertura de um significado recém-elaborado.

Em certas obras, poder-se-á ver esta dissociação entre o significado externo e o indireto. Para muitos leitores, a *Odisseia* é nada mais que a narração de uma aventura pitoresca, escapando-lhes inteiramente o humanismo que encerra. Para outras, as *Elegias de Duíno* constituem um *nonsense*. A razão disto parece ser o fato de que há vários graus de socialização, desde o eu solitário até o eu incapaz de solidão, inteiramente despersonalizado e gregarizado, para o qual só têm vigência os estereótipos. Nas *Cinco meditações sobre a existência (solidão, sociedade e comunidade)*, Berdiaeff estuda este assunto do ponto de vista de sua filosofia social.

A compreensão da personalidade requer um profundo conhecimento destas questões. Compreender um homem é ser capaz de distinguir o sentido externo de sua expressão (obras, atos etc.) daquele sentido indireto. Quanto mais rica e profunda uma personalidade, mais difícil esta penetração. É que, neste último caso, o exegeta terá muitas vezes de abandonar a zona do convencional e descobrir o princípio mesmo da vida que estuda. Sem este princípio, é impossível surpreender a unidade psicológica dos atos de um personagem.

Referindo-se, precisamente, à realidade de um eu autêntico diverso do eu sujeito das relações sociais, Charles Morgan escrevia recentemente:

> Nenhuma tarefa do historiador é mais difícil do que a de distinguir um homem dos seus atos. Bonaparte não foi apenas um general e um legislador, não consistiu em sua carreira militar e em sua política civil. Ele foi aquele animal único. Napoleão, filho de Letícia, marido de Josefina, prisioneiro de Santa Helena, uma criança que se tornou um jovem, um jovem que se tornou um homem, carregando dentro de si um sentido de sua contínua identidade, consciente, como todos nós somos, de que seus atos eram misteriosamente independentes dele e que quem quer que o julgasse pelos mesmos estava, em grande parte, baseando seu julgamento sobre mera aparência. Um homem vive e estriba sua existência tão poderosamente num plano de imaginação que o que é ordinariamente chamado os fatos de sua vida, mesmo quando eles incluem suas cartas e sua

conversa, é uma evidência extremamente incompleta de sua natureza. Seu pensamento entre o sono e a vigília, suas pequenas esperanças e decepções, suas ideias acerca de si mesmo, mil segredos dos quais nem ele possui a chave são partes necessárias da verdade total e todas as suas obras dão ao historiador acesso a não mais do que um fragmento destes fragmentos. ("The uncommon man", in *Reflections in a mirror*, p. 147)

O dito de Rilke de que a glória é a soma de mal-entendidos que se dizem a respeito de uma pessoa é também uma intuição da irredutibilidade do eu autêntico a termos sociais. E, a propósito, na segunda metade do século XVIII, Lichtenberg lembrava que toda nossa história não é senão a história do homem desperto e que ninguém pensou ainda na história do homem dormindo.

É preciso observar, porém, que a manutenção da vida pessoal no plano de autenticidade exige um esforço de que a maioria não é capaz. Tudo conspira, na sociedade, para reprimir a autenticidade humana. O ser mais autêntico e espontâneo é o recém-nascido. Mas, tão logo a sociedade inicia, o exercício da tutela do novo ser é o seu olhar espiritual obnubilado. O recém-nascido encontra o mundo definido e interpretado, e esta definição e interpretação lhe é inculcada assim que, à medida que ele se integra à sociedade, mais se atrofia a sua capacidade de fruição autêntica do mundo. O preço da integração social da criatura humana é, assim, a sua mutilação interior.

Toda sociedade é, pois, um preconceito do universo. Cada um de nós está dentro de um casulo de preconceitos através do qual vê o universo. A nossa vigília e o nosso sono estão impregnados de preconceitos.

Pretender, portanto, que desapareçam os preconceitos equivaleria a pretender destruir a própria sociedade. O preconceito é expediente atuarial, é uma condição da própria segurança da sociedade. Léon Bloy dizia que é uma condição de segurança para a grande maioria das criaturas humanas, pois que poderiam fazer ou dizer se não existissem os lugares-comuns?

Deve-se admitir, porém, que em toda sociedade há uma hierarquia de preconceitos. Um certo número deles, se desfeitos, importaria o esfacelamento da sociedade. A estes Summer chamou de "mores". Outros, entretanto, há que podem ser desfeitos sem que se ameace a sociedade, e até com benefício para muitos dos seus membros.

O sociodrama é precisamente um método de eliminação de preconceitos ou de estereotipias que objetiva libertar a consciência do indivíduo da pressão social. Por exemplo, adestra uma pessoa para ver um funcionário, um negro ou um judeu, não à luz dos estereótipos, *o funcionário, o negro ou o judeu*, mas como personalidades singulares, únicas, inconfundíveis.

\* \* \*

Passo agora a relatar algumas demonstrações de sociodrama que tenho realizado no Seminário de Grupoterapia do Instituto Nacional do Negro (para melhor entendimento deste artigo, é indispensável que o leitor conheça os que foram publicados nos dois números anteriores deste jornal). Numa das sessões do Seminário, verifiquei que estava presente uma ex-aluna minha, filha de alemães. Chamei-a ao palco e disse-lhe (eu tinha certeza de sua boa vontade):

— Sei por você mesma que os seus pais têm forte preconceito contra homens de cor. Sei ainda que você mesma recebeu grande influência deles neste particular. Assim, você é um bom caso sobre o preconceito de cor. Vamos improvisar, portanto, a seguinte cena: passando por sua casa, tenho a ideia de visitá-la. Bato à porta e você me recebe. Seus pais estão em casa e veem para a sala e aí conversamos todos.

Pedi à jovem que dispusesse os móveis sobre o palco de modo a dar uma ideia da sala de visitas de sua casa. Tudo arranjado, eu toco a campainha da porta da rua. Atende a jovem, que, quando me vê, perturba-se um pouco.

Guerreiro (o autor é mulato): — Boa tarde, Jane. Passava por aqui quando me lembrei de lhe fazer uma visita.

Jane: — Entre, professor. Me dá muito prazer.

*(Um casal previamente informado por Jane de como reagiriam seus pais numa situação desta faz no palco os papéis dos pais de Jane.)*

Jane: — Papai, este é o professor Guerreiro.

Pai (apertando a mão de G.): — Muito prazer.

Jane (indicando a mãe): — Esta é minha mãe.

Mãe (apertando a mão de G.): — Muito prazer.

(Todos se sentam.)

Guerreiro: — A minha visita é mais intencional do que casual. Eu desejava conhecer os pais de Jane, uma estudante como há muito tempo não encontrava. Desejava conhecê-los e lhes pedir que permitissem que ela realize comigo uma sessão demonstrativa de psicodrama no auditório do Instituto Nacional do Negro.

(Explico em linhas gerais o que é o psicodrama.)

Jane: — Ah! Que interessante!

Pai: — Mas você está certa de que tem habilidade para isto...

Guerreiro: — Mas o psicodrama não é o que se chama vulgarmente teatro. É uma conversa muito semelhante a esta. Apenas ocorre num palco...

Pai: — Bom, doutor Guerreiro, se a Jane quiser...

Jane: — Quero, sim...

Guerreiro: — O meu objetivo está alcançado e eu vou pedindo permissão para me retirar.

(Cumprimentam-se. Despedidas habituais.)

A seguir focaliza-se no palco o que se passa na casa de Jane depois que o professor Guerreiro saiu. O pai e a mãe de Jane a reprovam. Ela tenta explicar. Acende-se uma discussão, no decorrer da qual Jane afirma imperiosamente que irá à sessão do psicodrama.

Finalizando, mostrei os defeitos técnicos da sessão de sociodrama que se terminou de realizar. Seria necessário – disse – que outras pessoas do auditório viessem dar as suas versões dos casos ali focalizados. Lastimo a falta de voluntários e de tempo e passo a analisar com a audiência as cenas que foram exibidas. Nesta análise, fica patente que estereotipias e os preconceitos foram as causas dos conflitos e da incompreensão entre as pessoas. Tal análise exerce sobre a audiência uma visível influência liberatória ou catártica.

\* \* \*

Um outro sociodrama que despertou grande interesse nos participantes do Seminário de Grupoterapia foi o que focalizou restrições que as pessoas de cor encontram em certos empregos. Transportei para o palco uma situação em que a gerente de uma companhia americana se negava a aceitar uma moça morena como candidata a um emprego de estenógrafa. A seguir, organizei uma outra cena em que a moça rejeitada conversa com os membros da sua família sobre o que lhe acontecera.

Uma audiência de brancos e pretos analisou comigo este sociodrama. Os mesmos rendimentos catárticos foram obtidos.

> **Pequena biografia de um precursor**
> Alberto Guerreiro Ramos nasceu em Santo Amaro da Purificação (BA), em 13 de setembro de 1915, filho do maestro Victor Juvenal Ramos e de Romana Guerreiro Ramos.
> Aos 11 anos já trabalhava numa farmácia em Salvador. Despertou apara os estudos e teve uma vida acadêmica ativa na capital baiana. Poeta, escreveu e publicou o livro *O drama de ser dois*. Em 1939, mudou-se para o Rio de Janeiro, para cursar Ciências Sociais na Faculdade Nacional de Filosofia, concluído em 1942. Foi indicado para ser professor nessa instituição e para uma bolsa de estudos nos Estados Unidos, a qual recusou por dificuldades financeiras. Realizou um trabalho pioneiro que deu categoria sociológica ao problema de mortalidade infantil. É coautor de pesquisas e estudos sociológicos no Brasil entre 1940 a 1949, como *Estudo de sociologia do conhecimento aplicado à administração*, *Introdução ao histórico da organização racional do trabalho* e as *Relações de raça no Brasil*, de 1950. Em 1949, foi um dos membros mais destacados da I Conferência de Imigração e Colonização. Foi examinador da cadeira de sociologia na Escola de Comando e Estado Maior da Aeronáutica e ministrou cursos sobre mortalidade infantil, assimilação e aculturação de

imigrantes, psicologia social e problemas econômicos do Brasil, entre outros. Coordenou o Instituto Nacional do Negro, departamento de pesquisa e estudo do Teatro Experimental do Negro, onde instalou o Seminário de Grupoterapia, por meio do qual realizou experiências sociológicas de psicodrama e de sociodrama. Em 1949, realizou com Edison Carneiro e Abdias do Nascimento a Conferência Nacional do Negro e o I Congresso Nacional do Negro Brasileiro.

Também formado em Direito, atuou em diversos órgãos públicos. Em 1963, elegeu-se deputado federal pelo Partido Democrático Trabalhista (PTB). Assim, sua teorização sobre a realidade brasileira do ponto de vista sociológico aos poucos ganhou perspectivas políticas e administrativas.

Perseguido pelo regime ditatorial imposto pelo golpe militar de 1964, exilou-se nos Estados Unidos em 1966, onde tornou-se professor titular da University of Southern California, atuando na School of Public Administration, onde obteve reconhecimento e prestígio, sendo por três vezes agraciado com o prêmio Teaching Excellence Award. Em 1979, voltou a escrever sobre a realidade brasileira, publicando artigos no *Jornal do Brasil*. Faleceu em 1982, vítima de câncer.

De suas publicações, destacam-se: *Introdução à cultura*, *Problemas econômicos e sociais do Brasil*, *Uma introdução ao histórico da organização nacional de trabalho*, *Relações de raça no Brasil*, *O processo da sociologia no Brasil: esquema de uma história das ideias*, *Introdução crítica à sociologia brasileira*, *O problema nacional do Brasil*, *A crise de poder no Brasil: problemas da revolução nacional brasileira*, *Mito e verdade da revolução brasileira*, *Administração e estratégia de desenvolvimento*, *A nova ciência das organizações: uma reconceituação da riqueza das nações* e *Administração e teoria das organizações*.

## REFERÊNCIAS

BARBOSA, Muryatan Santana. *Guerreiro Ramos e o personalismo negro*. Jundiaí: Paco, 2015.

NASCIMENTO, Abdias do. *Quilombo: vida, problemas e aspirações do negro* (edição fac-similar do jornal dirigido por Abdias do Nascimento, Rio de Janeiro, n. 1-10, dez. 1948-jul. 1950). São Paulo: Editora 34, 2003.

# 4. Psicodrama e negritude no Brasil[1]

*Maria Célia Malaquias*

Atualmente, nas ciências humanas e da saúde, há um intenso debate sobre o uso do termo "raça". Considera-se o termo "etnia" mais abrangente, por incluir o conceito de cultura, entendido aqui como o modo de ser e de se expressar de determinado povo. Munanga (2004), importante antropólogo, pesquisador e liderança do movimento negro brasileiro, nos esclarece que, na atualidade, o adequado não é usar nem raça nem etnia, mas "população". Assim, em seus escritos, usa população negra, população branca.

Estou de acordo com a evolução da compreensão do conceito; no entanto, no presente trabalho, utilizo o termo "relações raciais", por entender que o termo "raça" ainda está impregnado na nossa cultura. Trata-se de algo transgeracional, que povoa nossas relações. Constitui um chamamento para refletirmos sobre essa questão que se apresenta complexa, sutil e deveras eficiente na sua forma de excluir um contingente de homens e mulheres negros.

> Convém explicitar que raça aqui é entendida como noção ideológica, engendrada como critério social para distribuição de posição na estrutura de classes. Apesar de estar fundamentada em qualidades biológicas, principalmente a cor da pele, raça sempre foi definida no Brasil em termos de atributo compartilhado por um determinado grupo social, tendo em comum uma mesma graduação social, um mesmo contingente de prestígio e uma mesma bagagem de valores culturais. (Souza, 1983, p. 20)

---

[1] Parte deste texto é de minha monografia para titulação de psicodramatista didata supervisora pela Sociedade de Psicodrama de São Paulo (Sopsp), em 2004.

Tanto na psicologia quanto no psicodrama ainda temos muito que pesquisar, refletir, compreender. Na psicanálise e na psicologia social encontramos alguns estudos, dos quais o pioneiro é de Neusa Souza. A autora aborda a questão racial do ponto de vista do sofrimento psíquico do negro em decorrência do racismo, da "experiência de ser-se negro numa sociedade branca. De classe e ideologia dominantes brancas. De estética e comportamentos brancos. De exigências e expectativas brancas" (Souza, 1983, p. 17).

A psicologia social, sobretudo com a pesquisa de Bento (2002, p. 26) sobre branqueamento e branquitude no Brasil, nos diz que "a falta de reflexão sobre o papel do branco nas desigualdades raciais é uma forma de reiterar persistentemente que as desigualdades raciais no Brasil constituem um problema exclusivamente do negro, pois só ele é estudado, dissecado, problematizado". A autora acrescenta: "Evitar focar o branco é evitar discutir as diferentes dimensões de privilégio" (*ibidem*, p. 27).

Já Jacob Levy Moreno (1974, p. 123) criou um método para tratar dos problemas étnicos, que denominou etnodrama – "uma síntese do psicodrama com as pesquisas de problemas étnicos, de conflitos de grupos étnicos".

Nos trabalhos que tenho realizado em quase duas décadas, evidencia-se a importante contribuição do psicodrama, que nos possibilita tratar das relações raciais nos palcos psicossociodramáticos. Moreno (1975, p. 444) afirma ser necessário familiarizar-se com o "verdadeiro papel vital de uma família negra, não intelectualmente, não como vizinhos, mas também num sentido psicodramático, vivendo-o e elaborando-o conjuntamente neste palco".

Já Guerreiro Ramos (*apud* Malaquias, 2004, p. 14) aponta a importância do sociodrama para tratar as questões de preconceito, em especial do racial, definindo-o como "[...] um método de eliminação de preconceitos ou de estereotipias que objetiva libertar a consciência do indivíduo da pressão social".

Fonseca (2008) destaca que, seja em sua perspectiva sociológica, seja em sua perspectiva educacional ou psicoterapêutica, o trabalho de Moreno "[...] está fundamentado na tentativa de ajudar as pessoas a se incluírem em suas relações".

Podemos (queremos) intervir nessas realidades?

## OS PRIMEIROS PASSOS

Tudo começou ainda durante o meu curso de formação em psicodrama na Sociedade de Psicodrama de São Paulo (Sopsp), ao folhear o livro *Psicodrama*, de Moreno, quando deparei com o texto "O problema negro-branco: um protocolo psicodramático". Esse fato foi determinante para reafirmar minha escolha de me tornar psicodramatista, pois foi emocionante encontrar em Moreno um interlocutor.

Anos depois, outro momento determinante para a continuação da minha pesquisa foi quando o amigo Ronaldo Pamplona me apresentou Guerreiro Ramos. Mesmo com poucas informações sobre seu trabalho, foi mobilizador saber que um homem negro baiano tinha trabalhado com psicodrama, no final dos anos 1940.

Foram alguns anos buscando informações até encontrar a edição fac-similar do jornal *Quilombo*, publicada em 2003. Nela estão todos os exemplares desse periódico do Teatro Experimental do Negro (TEN), organização fundada em 1944 por Abdias Nascimento, seu principal líder, e Aguinaldo Camargo, Teodorico dos Santos, José Herbel e Tibério.

O TEN era um espaço que privilegiava atores e atrizes negros e que, além das peças teatrais e do jornal *Quilombo*, tinha o Instituto Nacional do Negro, seu departamento de pesquisa e estudo. Na televisão e no cinema nacionais, consagraram-se atores que iniciaram suas carreiras no TEN, como Léa Garcia, Haroldo Costa e Ruth de Souza (Muller, 1994, p. 560).

## SURGIMENTO DE UM TEATRO NEGRO

A abolição deu ao negro a condição jurídica de cidadão livre, mas sabemos que a liberdade vai muito além disso. Faz-se necessário, portanto, criar mecanismos integrativos. De acordo com Abdias Nascimento (1966, p. 85), o TEN foi idealizado nesse contexto: "Ele é um campo de polarização psicológica, onde se está formando o núcleo de um movimento social de vastas proporções [...] um experimento psicossociológico [...]".

Já naquela época a experiência do teatro era considerada uma expressão da vida humana, que, no Brasil, assim como no mundo ocidental, era representada pelo universo do homem branco. Pouco ou nenhum papel se atribuía ao negro ou ao mundo visto a partir de sua perspectiva.

O Teatro Experimental do Negro aglutinou também intelectuais de outras áreas. Assim surgiu, em 1949, o Instituto Nacional do Negro, coordenado por Alberto Guerreiro Ramos. O órgão inicia suas atividades com o Seminário de Grupoterapia, a partir "da constatação, em numerosas pesquisas, de que o ressentimento é uma das matrizes psicológicas mais decisivas do caráter do homem negro brasileiro" (1966, p. 89). Assim, o TEN passa a viabilizar a grupoterapia como um espaço que possibilita catarse e reflexão das sequelas trazidas de um passado escravizado, cuja raiz se encontra na vivência da falta de um lugar próprio, em uma identidade negra fragmentada, a partir de uma história de não existência como pessoa.

Convém lembrar que, durante o período da colonização, os negros foram tratados como coisas, máquinas que serviam para mover os engenhos de cana de açúcar. Foram descontextualizados e submetidos a maus-tratos físicos, mentais e emocionais.

No Brasil, país colonizado por europeus, os únicos valores aceitos são os do colonizador. Entre esses valores está o da brancura como símbolo sublime do belo. Com relação ao negro, ao contrário, está investida uma carga de significados pejorativos. São notórias expressões cotidianas, como "a coisa está preta" ou "lista negra", repetidas consciente ou inconscientemente e cuja raiz está num eficaz preconceito e na discriminação, processo que busca manter o negro em um lugar de inferioridade, relacionando-o com atributos negativos, como "ruim", "feio", "incapaz".

Ao contrário da história oficial, na verdade, desde o período colonial é comum a articulação em grupo visando à conquista da liberdade. O negro não foi um coadjuvante passivo, pois lutou, mesmo ameaçado pelo chicote, tanto quebrando máquinas, incendiando plantações e matando capatazes quanto fugindo e constituindo quilombos.

Ao longo do tempo, e paralelamente ao meu trabalho de pesquisa teórica sobre relações raciais, dirigi dezenas de sociodramas com a temática racial em diferentes espaços, com públicos diversos. Depois de concluir o mestrado em Psicologia Social pela Pontifícia Universidade Católica de São Paulo (PUC-SP), retomei minha pesquisa no psicodrama, visando à titulação de professora-supervisora pela Federação

Brasileira de Psicodrama (Febrap). Minha opção por direcionar a pesquisa para o resgate dos textos "O problema negro-branco: um protocolo psicodramático", de Moreno, e o "Teatro Experimental do Negro", de Abdias do Nascimento, possibilitou-me um reencontro com a obra deste último. E, nesse contexto, ao entrar em contato com o seu livro *O negro revoltado* (1982), fui surpreendida com menções a Guerreiro Ramos, sobre cuja obra me debrucei. Considero que para nós, psicodramatistas, é de grande relevância descobrir que, no fim da década de 1940, um sociólogo negro brasileiro recomendava à Unesco a utilização do psicodrama como metodologia para tratar as relações raciais.

**ALBERTO GUERREIRO RAMOS: PSICODRAMATISTA PIONEIRO**

Como vimos, um importante instrumento de comunicação criado e publicado pelo Teatro Experimental do Negro foi o jornal *Quilombo*. Este teve dez números publicados entre 1948 e 1950. Dada a sua importância, em 2003, a Editora 34 lançou uma edição fac-similar contendo a íntegra de todos os números dessa publicação do TEN. Antonio Sérgio Alfredo Guimarães (2003, p. 11-12), idealizador do projeto, chamou a atenção para sua importância:

> não há jornal que melhor retrate o que foi o ambiente político e cultural de mobilização antirracista brasileira, nos primórdios da nossa democracia contemporânea, do que este jornal negro, dirigido por Abdias do Nascimento [...] o *Quilombo* reuniu um elenco de grandes nomes das nossas artes e ciências, brancos e negros, num projeto inédito e único, nunca depois repetido, de luta contra o racismo no Brasil.

Por meio de artigos, Guerreiro Ramos participava ativamente desde o primeiro número do jornal *Quilombo*. E, em edições variadas, escreveu sobre grupoterapia, psicodrama e sociodrama.

**"UMA EXPERIÊNCIA DE GRUPOTERAPIA"**

Considerando a relevância para o contexto psicodramático do material encontrado, opto por transcrever parte dos seus artigos. No número 4 do jornal *Quilombo*, de julho de 1949, Guerreiro Ramos publica o artigo "Uma experiência de grupoterapia", no qual busca esclarecer as diferenças entre a proposta do Teatro Experimental do Negro e outras experiências de teatro americano e de teatro francês. Para Guerreiro Ramos (2003, p. 7),

> [...] a técnica social do TEN pode ser chamada de grupoterapia e encontra similares na técnica do psicodrama e do sociodrama de J. L. Moreno, que dirige dois teatros psicoterapêuticos em Beacon Hill e em Nova York. [...] o TEN é um campo de polarização psicológica onde o homem encontra oportunidade de eliminar as suas tensões e os seus recalques.

**"TEORIA E PRÁTICA DO PSICODRAMA"**

É no número 6 do jornal *Quilombo*, de fevereiro de 1950, que Guerreiro Ramos busca esclarecer as bases do psicodrama e do sociodrama. Diz ele (2003, p. 6-7):

> o comportamento social do homem não é inato. É um sistema de papéis que têm de ser aprendidos [...] Para participar da comunidade social [o homem] tem de aprender, através de ensaios e erros, os papéis sociais, os quais, integrados em sistema, constituem a sua personalidade. A vida social é, pois, representação, e o drama é consubstancial e coextensivo à sociedade. A essência da sociedade é o drama, a convenção, concluíram a psicologia e a sociologia moderna, revelando, assim, possibilidades quase ilimitadas de modelação deliberada da vida social e de autoinstrumentalização da personalidade humana [...].

Ainda nesse mesmo artigo, Guerreiro lembra que o teatro é uma forma particularíssima do drama, e que foi J. L. Moreno quem mais contribuiu para a nova interpretação do significado do drama – por meio do psicodrama, que Guerreiro define como "um método de análise das relações humanas e um processo de terapêutica psicológica". Afirma que, diferentemente da psicanálise, em que há apenas a exposição verbal, no psicodrama se concretiza de fato a constelação de relações de que o indivíduo é participante: "O paciente, no palco, pode ser treinado num novo papel ou numa nova conduta [...] é a catarse o mecanismo fundamental do psicodrama. Daí o motivo por que Aristóteles deve ser considerado o precursor do método psicodramático".

O autor prossegue:

> O psicodrama não é uma obra pré-realizada, destinada a ser executada no palco segundo determinações preestabelecidas. O psicodrama é improvisado e não submete os que o executam senão à sua espontaneidade, permitindo surpreender as emoções em seu estado nascente. É uma forma de teatro da espontaneidade.

## "TEORIA E PRÁTICA DO SOCIODRAMA"

No número 7-8 de *Quilombo*, de março de 1950, Guerreiro Ramos publicou "Teoria e prática do sociodrama". No artigo, o autor conceitua a personalidade humana, ressaltando que só adquirimos consciência dela num estágio mais avançado da evolução social e que nossa primeira visão de mundo foi elaborada pela tradição. Considera que o ser mais autêntico e espontâneo na sociedade é o recém-nascido, que encontra o mundo definido e interpretado e, ao se integrar na sociedade, vai perdendo autenticidade e espontaneidade.

Guerreiro usa esse conceito de constituição do ser para explicar que "toda sociedade é um preconceito do universo. Cada um de nós está dentro de um casulo de preconceitos através do qual vê o universo". Ao considerar o preconceito inerente à espécie humana, Guerreiro Ramos assinala que, no entanto, há preconceitos que podem e devem ser desfeitos em benefício da própria sociedade. É nesse contexto que o autor define a importância do sociodrama para tratar o preconceito, sobretudo o racial.

## DESCOBRINDO UM TEXTO DE MORENO SOBRE RACISMO

Uma das experiências mais marcantes durante o meu curso de especialização em Psicodrama ocorreu quando folheava ao acaso o livro de Moreno, *Psicodrama,* e deparei com o título "O problema negro-branco: um protocolo psicodramático" (Moreno, 1975, p. 425). Faço a seguir uma síntese, mas recomendo sua leitura integral.

Trata-se do relato de Moreno sobre sua experiência, em 1945, de dirigir um psicodrama público em uma grande universidade da Costa Oeste dos Estados Unidos. O público participante era de estudantes de uma oficina de educação intercultural. Havia 131 pessoas: 6 negros e 125 brancos, com média de 21 anos, sendo 65% mulheres e 35% homens. Destaca-se que 23 pessoas eram assistentes sociais e 37 eram comprometidas ou casadas com estrangeiros.

Ainda ressoam dentro de mim ecos dessa descoberta. Lembro-me de que o impacto do relato sobre esse trabalho de Moreno causou-me enormes sensações, despertadas pelo casal protagonista do protocolo. Tais sensações mesclavam-se ao prazer de descobrir um Moreno preocupado com as minhas questões como mulher negra e futura psicodramatista, mas também relacionadas à dor de me identificar nas marcas advindas do preconceito e da discriminação.

Senti algo parecido durante o meu curso de formação em Psicologia, ao deparar com o trabalho de Neusa Santos Souza, psicanalista negra que, em 1983, brinda a sociedade brasileira, especialmente a população negra, com seu livro *Tornar-se negro*. Identifiquei-me com sua ideia pioneira de que o negro brasileiro não nasce negro, mas vai se tornando à medida que adentra o mundo negro em busca de suas referências e se sente identificado como tal. Souza nos desperta para a importância de voltar a atenção para as consequências da discriminação e do preconceito no aspecto emocional.

Desde o meu primeiro contato, o protocolo moreniano se apresentou para mim como uma possibilidade de trabalhar a temática das relações raciais por meio da concepção psicodramática de ser humano e dos recursos metodológicos do psicodrama e do sociodrama.

Ao entrar no auditório, Moreno vê no público um casal de universitários negros e os convida a subir ao palco. Chamam-se Cowley, e surge no palco o conflito racial vivido pelo casal, por meio do drama coletivo de uma sociedade com graves conflitos raciais e marcada pela segregação. Moreno utiliza um ego-auxiliar denominado Dona Branca, que faz o papel da vizinha branca que acusa um menino negro de ter batido no seu filho. Após a dramatização do casal Cowley, Moreno abre uma discussão com o público sobre o que foi vivido no palco. Ele parte do levantamento sobre possíveis identificações do público com a cena do casal, fazendo indagações, para as quais se deve responder sim ou não.

Ao analisar as respostas do público, Moreno chama a atenção para o princípio de identidade, que deve ser considerado parte do processo de identificação, por desenvolver-se antes e atuar em todas as relações intergrupais. "Para a criança pequena, não existe uma relação eu-outro e sim duas porções ainda indiferenciadas da 'matriz de identidade'. No nível adulto, para os não negros, por exemplo, todos os negros são considerados idênticos, *o negro*" (Moreno, 1975, p. 442).

O autor ressalta que uma parcela significativa do público teria atuado em relação aos Cowley como a Dona Branca e considera esse fato "uma ilustração manifesta do princípio de realidade", esclarecendo que "é caraterístico desse princípio funcionar melhor quando membros estranhos do grupo (*out-group*) não são individualmente conhecidos dos membros pertencentes ao grupo (*in-group*)" (*ibidem*, p. 442-43).

Moreno procura diferenciar o processo de identificação subjetiva – isto é, a projeção, geralmente irreal, num outro indivíduo de um sentimento pessoal – da identificação objetiva, como a questão ligada aos papéis representados por outros indivíduos. Exemplifica: "Se, neste público, os assistentes sociais sentem afinidades mútuas, isto se deve ao princípio de identidade que atua já ao nível de não relacionamento pessoal e, depois, logo que passam a se conhecer, será devido à identificação de papel. Este tipo de identificação é um processo objetivo" (*ibidem*, p. 443).

Os princípios identidade/identificação subjetiva e identificação de papel estão interligados. No entanto, segundo Moreno, o processo de identificação raramente é completo, pois na maioria das vezes os atos de identificação processam-se apenas com uma fase da outra pessoa.

Finalizando sua análise, Moreno destaca que o público presente precisa familiarizar-se com o "verdadeiro papel vital de uma família negra, não intelectualmente, não só como vizinhos, mas também num sentido psicodramático, vivendo-o e elaborando-o conjuntamente neste palco" (*ibidem*, p. 444).

## SOCIODRAMA: REVISITANDO A AFRICANIDADE BRASILEIRA
### Aquecendo-me para a direção de etnodramas

Com a formação em Psicodrama, e aliada a uma significativa experiência profissional como psicóloga clínica e professora, começou a surgir em mim o desejo de trazer para o contexto sociodramático algumas das questões referentes à história do negro no Brasil. Intrigava-me que em todos os congressos, tal como acontece na sociedade brasileira, não estivessem pautadas temáticas sobre relações raciais, além da ausência de negros nesses eventos. Era dolorido constatar que, num congresso com 800 a 900 pessoas, o número de negros[2] pudesse ser contato com os dedos das mãos.

No Congresso Brasileiro de Psicodrama de 1998 participei, pela primeira vez, de uma atividade de psicodrama dirigida por um psicodramatista negro, o doutor Paulo Amado, importante profissional baiano reconhecido entre os psicodramatistas de vanguarda. Ainda hoje não consigo descrever minha emoção naquele sociodrama, mas ainda tenho presente a sensação de que estava vivenciando algo que mudaria a minha maneira de lidar com o psicodrama e de estar entre os meus colegas psicodramatistas. Como diria Souza, estava me tornando negra no meio psicodramático brasileiro.

No ano seguinte, 1999, estreei como diretora de trabalho no II Congresso Ibero-Americano de Psicodrama, que aconteceu em Águas de São Pedro, quando Paulo Amado e eu apresentamos, na modalidade grupos de discussão dramatizada, o trabalho "Psicodrama e a subjetividade palmarina: da Senzala a Palmares". Para dirigir a parte dramatizada, convidamos um colega argentino, muito querido entre os colegas brasileiros, o doutor Carlos Calvente. Em 2000, no XII Congresso Brasileiro, dirigi o sociodrama "Revisitando a africanidade brasileira" e fui ego-auxiliar no protocolo "O problema negro-branco", dirigido pela psicodramatista Regina F. Monteiro. No III Congresso Ibero-Americano, realizado em Buenos Aires em 2003, dirigi o sociodrama "A musicalidade africana como possibilidade de encontro das

---

[2] Seguindo orientações do movimento negro, consideramos negros todos aqueles que se autoproclamam pardos e negros.

identidades" e, em 2004, no XIV Congresso Brasileiro, dirigi o sociodrama "Psicodrama e negritude".

Além da participação em congressos, tive oportunidade de dirigir diferentes públicos em diversos lugares, em espaços acadêmicos ou não, em regiões centrais e periféricas da capital e em municípios da grande São Paulo. O público participante também tem sido diverso, pois em alguns espaços predominam os negros, ao passo que em outros sobressaem-se os brancos.

Na verdade, minha experiência como psicóloga que trabalha com questões de preconceito e discriminação racial começou em 1988, ano em que se completaram 100 anos da "abolição da escravatura" no Brasil. Naquele ano, organizei um grupo de homens e mulheres negros. O principal critério para participar do grupo era que a pessoa fosse negra; era meu entendimento, na época, que se fazia necessário um espaço entre negros para falarmos das nossas questões emocionais. Ao final de dez encontros, iniciei um grupo misto, de negros e não negros. Foi uma experiência enriquecedora, mas que, por motivos pessoais, não pôde ter continuidade.

## Caminhando para uma sistematização

No final da década de 1990, cursei o mestrado em Psicologia Social na PUC-SP, no qual propus investigar a cultura e a identidade negras por meio da análise de três diferentes gerações de pessoas atuantes na comunidade negra. Estudei de que forma essas três gerações distintas lidaram com as questões de negritude, assim como os possíveis meios de transmissão desse legado, que utilizamos para nossas análises e reflexões a respeito dos estudos sobre identidade social e memória coletiva, entendidas como construções que se engendram por meio da interação social.

Minha trajetória se pauta no ideal de homem apresentado por Moreno, um ser essencialmente espontâneo e criativo. Ideal no sentido do reconhecimento como pessoa pertencente à etnia negra brasileira que, inspirada nos próprios antepassados, busca o direito de ser tratada como pessoa. Trata-se de um contraponto à história do negro brasileiro, tratado como "coisa" no período da escravização. Desde essa época, a luta por vir a ser faz parte do cotidiano das relações entre negros e não negros. Cada geração, à sua maneira, lutou e luta pela conquista da liberdade de existência.

Uma vez definido o objetivo de trabalhar as relações interétnicas com a metodologia sociodramática, o passo seguinte foi escolher um nome para esse sociodrama. Assim surgiu o título "Revisitando a africanidade brasileira", que busca sensibilizar os participantes para a história do negro no Brasil, pois ainda hoje encontramos importantes contradições entre a história oficial, que coloca o negro num lugar de inferioridade e conformismo, e a história real.

Nesse trabalho, uso como objetos cênicos roupas coloridas, fotos de pessoas negras e instrumentos musicais, como atabaques, além de reproduzir músicas de cantores e compositores negros, especialmente as instrumentais, com sonoridade africana.

## O sociodrama

Para Moreno (1975, p. 412), o sociodrama nasceu da necessidade de "uma forma especial de psicodrama que projetasse o seu foco sobre os fatores coletivos". Tem como sujeito o grupo e é baseado no pressuposto tácito de que o grupo formado pelo público já está organizado pelos papéis sociais e culturais que, em certo grau, todos os portadores da cultura compartilham. Portanto, é incidental saber quantos (ou quem) são os indivíduos que compõem os grupos. Entende-se que é o grupo como um todo que deve ser colocado no palco para resolver os próprios conflitos, pois, no sociodrama, o grupo equivale ao indivíduo no psicodrama.

> Mas como o grupo é apenas uma metáfora e não existe *per se*, o seu conteúdo real são as pessoas inter-relacionadas que o compõem, não como indivíduos privados, mas como representantes da mesma cultura. O sociodrama, portanto, para tornar-se eficaz, deve ensaiar a difícil tarefa de desenvolver métodos de ação profunda, em que os instrumentos operacionais sejam tipos representativos de uma dada cultura e não indivíduos privados [...]. (Moreno, 1975, p. 413)

A antropologia e as relações interculturais são campos que se aliam ao processo sociodramático. No entanto, o sociodrama se apresenta como

> [...] uma nova abordagem dos problemas antropológicos e culturais, métodos de ação profunda e de verificação experimental. O conceito subjacente nessa abordagem é o reconhecimento de que o homem é um intérprete de papéis, que todo e qualquer indivíduo se caracteriza por certo repertório de papéis que dominam o seu comportamento e que toda e qualquer cultura é caracterizada por um certo conjunto de papéis que ela impõe, com variável grau de êxito, aos seus membros. (Moreno, 1975, p. 413-14)

Moreno (*ibidem*, p. 414) afirma:

> Para o estudo das inter-relações culturais, o procedimento sociodramático é idealmente adequado, especialmente quando duas culturas coexistem em proximidade física e seus membros se encontram, respectivamente, num processo contínuo de interação e permuta de valores. São exemplos a situação negro-branco, índio americano-branco e a situação de todas as minorias culturais e raciais nos Estados Unidos.

Nesse sentido, entendemos que, ao trabalhar as relações raciais, estão em cena todos os envolvidos nesse processo de inter-relações. E, mais uma vez, Moreno (*ibidem*, p. 386) nos ensina:

> O psicodrama projeta processos, situações, papéis e conflitos reais num meio experimental, o teatro terapêutico – um meio que pode ser tão vasto quanto as asas da imaginação permitam e que pode conter, entretanto, cada partícula dos nossos mundos reais. O teatro terapêutico é um palco construído de modo que as pessoas possam viver e projetar numa situação experimental os seus próprios problemas e sua vida real, desembaraçadas dos rígidos padrões impostos pela existência cotidiana ou as limitações e resistências da vida comum [...] O teatro é um cenário objetivo em que o sujeito pode passar ao ato seus problemas ou dificuldades, relativamente livre das ansiedades e pressões do mundo externo.

Após a explosão de importantes distúrbios raciais em Nova York, Moreno realizou no bairro do Harlem (onde a maior parte da população é negra) algumas sessões visando trabalhar as questões de duas culturas em conflito em termos de poder, com a branca no papel de cultura dominadora e a negra no papel de cultura dominada.

Nas sessões de Moreno, não compareciam somente moradores do Harlem, mas também pessoas negras e brancas que se identificavam com as questões apresentadas. Nesses trabalhos, ele diferenciou as fases que reconstituíam a situação daquele bairro, a começar pela

> situação que existia no Harlem antes de terem lugar os distúrbios. Prestamos, pois, nossa atenção às situações típicas do Harlem negro, especialmente as que eram propensas a provocar atritos inter-raciais e interculturais. O papel típico do Harlem, o papel do ministro religioso, do mestre-escola, dos pais, do proprietário de hotel, do batuqueiro, da prostituta, o papel do veterano negro da guerra e do soldado de licença ou prestes a ser recrutado, todos eles atraíram a nossa atenção, não em sua representação individual, mas coletiva. A segunda fase consistiu nas situações que realmente provocaram os distúrbios, os personagens envolvidos neles e os papéis que desempenhavam no momento em que os distúrbios aconteceram. A terceira fase começou com o problema de como traduzir em termos sociodramáticos os eventos coletivos subjacentes e as cenas reais dos distúrbios. (Moreno, 1975, p. 418-19)

No sociodrama houve a participação de pessoas envolvidas nos distúrbios, incluindo algumas das vítimas, mas Moreno adotou o método de deixar a critério do público se queriam subir ao palco ou não para retratar suas experiências individuais.

Moreno explica que uma cena escolhida adequadamente é de fato representante do tema grupal. Num dos trabalhos sociodramáticos, a cena escolhida ocorre numa agência de empregos perto do Harlem, que atende clientes negros e brancos. Os personagens foram um agente branco e duas candidatas negras que se interessaram por empregos anunciados num jornal local. Os personagens foram representados no palco por pessoas de sua própria etnia. No jogo de papéis, o agente branco diz: "Não há emprego para você porque você é negra". As candidatas negras tinham qualificação para o cargo em questão. O público, na medida em que ia se percebendo, aquecia-se para o

> protesto coletivo que cada negro formula contra os brancos, como grupo. O sociodrama começou se desenrolando daí em diante com um ímpeto e ritmo próprios. As moças voltaram para casa e disseram a seus pais que não tinham conseguido arranjar emprego. Um irmão que estava no Exército e se encontrava nesse momento em casa de licença enfureceu-se quando ouviu o que sua irmã contava. Então, a tensão começou a se acumular no público. Um espectador atrás de outro procurou representar suas próprias variações do conflito, o problema da discriminação racial no exército foi seguido pelo problema do desemprego para os negros, e uma atitude de espontaneidade começou a se difundir por todo público e chegou ao palco, atitude essa que era semelhante à que devia existir no Harlem antes e no dia dos distúrbios. (*Ibidem*, p. 419-20)

O autor lembra ainda que esse processo de "aquecimento preparatório" de um grupo inteiro, para que reexperimentasse um problema social permanente, abria um novo caminho para a terapêutica social, na qual os egos-auxiliares e o diretor devem intervir o mínimo possível, deixando a iniciativa da ação para os membros do grupo. Seus efeitos provavelmente se devem "ao fato de constituírem uma contraparte mais verídica do panorama vital, sempre inacabado e sempre incompleto, meio caótico e meio cósmico, de que todos nós participamos" (*Ibidem*, p. 421).

Moreno alerta que é necessário um planejamento cuidadoso nos trabalhos sociodramáticos. A responsabilidade do diretor consiste primeiro em coletar informações sobre as questões que vai abordar, informações essas que são comunicadas à sua equipe de egos-auxiliares, como referências visando facilitar suas improvisações. Ao se propor a trabalhar conflitos sociais – por exemplo, as relações entre negros e não negros –, é necessário algum treinamento dos egos-auxiliares, assim como é importante que a equipe envolvida de diretores e egos-auxiliares possa entrar em contato com os próprios conflitos e preconceitos, buscando "aprender a desligar-se tanto quanto possível de tudo o que, em sua própria vida coletiva, possa fazê-lo pender para uma ou outra das culturas retratadas".

No entanto, esses cuidados devem estar a serviço de uma melhor eficácia como facilitador de um trabalho terapêutico grupal, proporcionando uma base sólida para empreenderem um difícil programa social e cultural. Cada sessão é imprevisível, e um grupo de pessoas que nunca se viu pode causar surpresas. Moreno (1975, p. 422) alerta que os egos-auxiliares "devem estar aptos a subjetivar rapidamente as experiências dos informantes reais. Para que possam agir assim, é preciso vigilância e espontaneidade".

Segundo Moreno (*idem*), a contribuição maior do sociodrama "*é que pode curar assim como solucionar*; pode modificar atitudes assim como estudá-las". Assim, ao lidar com problemas que envolvem um grupo, precisamos

> de todos os olhos e de todos os ouvidos da comunidade em profundidade e amplitude, a fim de que possa atuar adequadamente. Necessita de um fórum onde o grupo, com seus problemas coletivos, pode ser tratado com a mesma seriedade com que o indivíduo é tratado num consultório. A forma ideal para isso é o teatro, de que todos podem compartilhar, o fórum por excelência é o anfiteatro, e o efeito é uma catarse da comunidade. (*Ibidem*, p. 422-23)

Na sessão sociodramática, o drama é coletivo, e qualquer indivíduo pode ser representante da coletividade tratada; qualquer um pode ser ator, "pois a finalidade do procedimento não é a sua própria salvação, mas a salvação de todos os membros do seu clã" (*Ibidem*, p. 424).

> O protagonista no palco não está retratando uma *dramatis personae*, o fruto criador da mente de um dramaturgo individual, mas uma experiência coletiva. Ele, um ego-auxiliar, é uma extensão emocional de muitos egos.

Portanto, numa acepção sociodramática, não é a identificação do espectador com o ator que está no palco, presumindo-se a existência de alguma diferença entre aquele e o personagem que este retrata. Trata-se de identidade. Todos os cristãos, todos os negros, todos os judeus e todos os nazistas são personagens coletivos. Todo o cristão é, enquanto cristão, idêntico a todos os outros cristãos. Na fase primária de identidade coletiva, não há, portanto, necessidade de identificação. Não existe diferença alguma entre espectadores e atores: todos são protagonistas. (*Ibidem*, p. 424-45)

Na teoria dos papéis de Moreno (1992, p. 178, v. 1), "todo papel é fusão de elementos particulares e coletivos; é composto de duas partes – seus denominadores coletivos e seus diferenciais individuais". O surgimento do papel é, portanto, anterior ao surgimento do eu. Papéis não surgem do eu; este pode, porém, surgir de papéis. Assim, Moreno define sociodrama como um "método profundo de ação que trata de relações intergrupais e de ideologias coletivas" (*ibidem*, p. 188).

Não há dúvida de que métodos de ação profunda como o sociodrama são mais indicados para explorar a complexidade das relações interculturais, uma vez que examinam os conflitos surgidos entre culturas distintas ao mesmo tempo que buscam tratá-los, a fim de tentar mudar a atitude de seus membros.

## O axiodrama

Nos sociodramas com a temática negra, o drama coletivo que se apresenta – seja nas experiências relatadas por Guerreiro Ramos, seja no protocolo de Moreno ou nos nossos sociodramas – invariavelmente está envolvido numa trama intercultural. Nesse sentido, entendemos ser necessário compreender a visão de Moreno sobre axiodrama, assim como a visão de outros autores contemporâneos. Moreno (1992, p. 33) define o termo como

> a ativação dos valores religiosos, éticos e culturais na forma espontânea-dramática. O "conteúdo" original do psicodrama era axiológico. Ao contrário das afirmações encontradas em livros atuais, comecei o psicodrama de cima para baixo. Primeiro foi o axiodrama (1918), em

segundo lugar veio o sociodrama (1921); o psicodrama e suas aplicações nas doenças mentais foram o último estágio do desenvolvimento.

Em nosso meio, Anibal Mezher (2002, p. 95-96) define o axiodrama como um "método sociátrico em que o diretor de axiodrama, como agente de transformação social, lida com os valores ético-culturais dos participantes".

Nessa perspectiva, entendemos que o axiodrama possibilita aos seus participantes entrar em contato com os próprios conceitos de valor, coletivos e individuais. Mezher (*ibidem*, p. 97) afirma que apenas nos últimos anos o axiodrama vem sendo estudado entre os psicodramatistas brasileiros e internacionais, mas que possivelmente "fosse realizado antes disso; entretanto, pelas suas características não foi devidamente identificado, ou teria sido confundido, em particular, com seu método fraterno mais parecido, o sociodrama".

Mezher diz ainda que seu atual critério conceitual para a identificação de sociodrama ou axiodrama "está estruturado numa tríplice óptica: dimensão em que o tema emergente é trabalhado; os tipos de focalização das cenas manifestas e a vivência dos participantes, subjetivação pessoal dessa realidade objetiva" (2002, p. 117).

Ainda não temos o devido esclarecimento sobre se nossos trabalhos das relações inter-raciais são sociodramas ou axiodramas. Por ora, a conceituação de Moreno sobre sociodrama – por considerá-lo um método de ação profunda referente às relações intergrupais e às ideologias coletivas, identidades sociais e catarse coletiva – tem norteado os nossos trabalhos e entendemos que respalda nossa opção por defini-los como vivências sociodramáticas, embora reconheçamos que há muito por ser pesquisado, tanto no psicodrama quanto nas demais áreas das ciências sociais, entre elas a etnologia.

## A catarse de integração

Outro conceito relevante em nossos estudos é a catarse de integração. Para compreendê-lo, utilizamos os estudos de Reñones. Considerando o elemento de passagem a partir do ciclo vida-morte-renascimento, o autor

(1996, p. 39) esclarece: "Catarse é o momento em que se diz adeus a uma forma de estar no mundo para abraçar de forma integral outro estado". Ou seja, a ideia da passagem, no sentido de transmutação, está presente, e transmutar significa "deixar algo para trás, algo que tem de ser limpo para alcançar a iluminação […] ter uma boa colheita" (idem).

Essa passagem implica dois importantes momentos: o primeiro, de se livrar daquilo que não serve mais, e o segundo, de abrir mão de certos elementos para acolher o novo que se busca. Abrir mão significa, segundo Reñones, vivenciar o processo de despedida, que indica o valor e a dor que uma mudança implica. A catarse, aqui, está sendo diferenciada do seu conceito original de purgante, no sentido de expulsar aquilo que faz mal, não tem mais utilidade; a catarse que estamos considerando é

> um processo muito mais complexo onde a ênfase não se dá no que é perdido, mas no que se ganha de novo e transformador para a existência. Porque o fato presente em toda mitologia e nunca explicitado é que estas nos preparam para a vida, para lidar com cada um de nós com as relações que travamos e com o cosmo. Em suma, nos preparam para viver e criar. (Reñones, 1996, p. 40)

Assim, ao falar de catarse de integração, (Reñones,1996, p. 44-45) parte dos ensinamentos de Moreno sobre o teatro da espontaneidade. Ele afirma:

> […] o teatro, muito antes de ser um local para representações de arte e diversões, foi um lugar para a terapêutica, procurado pelos doentes para a catarse […] a catarse de integração não se realiza no indivíduo ou de forma individual, mas no grupo. Isto é de extrema importância para compreender algo que também ocorria no ritual grego: o grupo vivencia uma experiência coletivamente. [Portanto, a] catarse de integração aponta para uma experiência coletiva de transformação.

Na perspectiva do psicodrama, é preciso rejeitar a dualidade doença/cura para dar lugar a uma noção integrativa, que nega a visão positivista-cartesiana do pensamento e das práticas terapêuticas. Nesse sentido, a visão holística do homem, na qual passado, presente e futuro, assim como indivíduo e grupo em que se está inserido, são a mesma coisa, pois a compreensão de qualquer fenômeno precisa levar em conta o todo.

Almeida, nos esclarece: "... o que caracteriza o trabalho do psicodrama, o seu modo de ação por excelência, é a interpretação permitida pela catarse de integração, por meio do adequado uso das técnicas psicodramáticas e de seus pressupostos teóricos" (Almeida, 2006, p. 181).

Reñones (1996) sabiamente afirma que "é como desarmonia que podemos ver as queixas de nossos clientes, e a partir disso agir em prol de harmonizá-los ao seu presente, deixando de sermos os curadores de doenças para assumirmos o papel de transformadores". E, dessa perspectiva, nos propõe pensar o sintoma como desarmonia do grupo referente do sujeito, criando possibilidades para a catarse de sua integração, transformando o sistema de modo que não seja mais necessária a exclusão de elementos (ou a sua identificação como a fonte dos problemas) para a obtenção do equilíbrio.

Assim, os ensinamentos de Reñones iluminam a nossa compreensão sobre os efeitos catárticos coletivos nos nossos trabalhos sobre as relações étnico-raciais. Buscamos possibilitar uma catarse de integração por meio de ações coletivas em que o drama do grupo é explicitado. Os depoimentos que obtemos nos apontam para uma tentativa de transformação nas relações entre negros e não negros e, para tanto, se faz necessário despedir-se das conservas culturais que permeiam tais relações.

## Comentários, análises e reflexões

Conforme mencionei na introdução deste trabalho, o desejo de descobrir as minhas origens negras, no sentido de saber quem sou eu, como sou e de onde vim, moveu minhas pesquisas e meu trabalho. Ciampa (1987) esclarece que esse tipo de questionamento constitui o início do processo de reconhecimento de nossa identidade como pessoas, e é a partir daí que tento convergir a minha prática e as concepções teóricas que norteiam e dão sentido ao meu papel profissional.

O trabalho de Moreno com questões étnico-raciais foi, para mim, uma descoberta acidental. E até mesmo nas minhas primeiras e poucas tentativas de busca de interlocutores eu invariavelmente não me sentia compreendida, muito menos acolhida. Nesse sentido, no espaço acadêmico, senti mais de uma vez que falava de um lugar que o outro não queria ou não podia entender.

Felizmente, o tempo passou, eu mudei e muitos dos colegas psicodramatistas também mudaram. Hoje, sou testemunha do empenho de vários colegas, que buscam decodificar as diferentes linguagens que permeiam as nossas relações étnico-raciais e suas ressonâncias nos espaços psico e sociodramáticos. Na verdade, o Brasil de hoje não é o mesmo do fim da década de 1980. É inegável o espaço conquistado pela população negra em diferentes extratos sociais. No entanto, há muito ainda por conquistar nessa luta que entendo ser não só dos negros brasileiros, mas de todos aqueles que querem de fato contribuir para um país melhor, onde os cidadãos sejam tratados igualmente nas suas diferenças. Talvez esteja aí uma das principais possibilidades de rompermos com nossos sentimentos de colonizados, que nos marcam desde o período escravocrata.

As minhas experiências como diretora do sociodrama "Revisitando a africanidade brasileira" são intensas e complexas. Os trabalhos com a temática étnico-racial mobilizam em mim emoções tão intensas que ainda não consigo nomear. Uma das questões em pauta é que, invariavelmente, o público participante, até então, nunca havia sido dirigido por uma psicoterapeuta negra. E, embora ainda não tenhamos uma pesquisa científica a respeito, reconheço a relevância desse fato e sei que alguns colegas estão desenvolvendo pesquisas de mestrado e doutorado na tentativa de entender a complexidade aí envolvida.

Pelos dados do último censo do Instituto Brasileiro de Geografia e Estatística (IBGE), a população negra (incluindo negros e pardos) corresponde a mais de 50% da sociedade brasileira. Assim, deveria ser óbvio e natural termos essa mesma percentagem de psicoterapeutas e psicodramatistas atuantes, assim como de clientes em nossos consultórios e cursos de formação, só para citar exemplos da nossa área. Será que já nos questionamos sobre isso? Por que será que, apesar dos avanços com projetos de diversidade e de políticas públicas, ainda contamos nos dedos das mãos o número de homens e mulheres negros que atuam, por exemplo, como psicodramatistas?

## Três protocolos: algumas semelhanças

No citado sociodrama "Revisitando a africanidade brasileira", as cenas dramáticas são sempre carregadas de imensa emoção. Os papéis de oprimidos e de opressores estão sempre presentes, como nas cenas relatadas por Guerreiro Ramos, encenadas há mais de meio século. Nelas, encontramos a mesma questão que aparece no protocolo de Moreno de 1945, escrito nos Estados Unidos. É interessante notar que tanto o casal negro do sociodrama de Moreno quanto os protagonistas de Guerreiro Ramos, assim como a cena protagônica relatada por nós, contêm as dores advindas dos sentimentos de rejeição e de exclusão. As questões econômicas também se entrelaçam, contribuindo para um sentimento de vir a ter relacionado com um vir a ser. Logicamente, não cabe neste trabalho uma visão socioeconômica. Mas entendemos ser pertinente alertar que, no Brasil, o fato de o negro vencer as barreiras sociais não significa automaticamente vencer o preconceito racial, embora não raramente encontremos teóricos de plantão ávidos por levantar essa bandeira. Entendemos que essas atitudes visam colocar os problemas das relações raciais em segundo plano. Eis mais uma questão para os pesquisadores que não se contentam com respostas rápidas e superficiais.

Voltando ao nosso foco, entendo que, seja em 1945 nos Estados Unidos, seja em 1949 no Rio de Janeiro, seja em 2001 em São Paulo, as questões vivenciadas por homens e mulheres negros são as mesmas, por serem questões da espécie humana. São temas com os quais os indivíduos se identificam como parte da comunidade humana, a mesma que coloca seus conflitos nos palcos psicossociodramáticos em busca de novas possibilidades de relações.

Refletindo sobre as três experiências que são objeto de nossos estudos, não encontramos diferenças nos dramas coletivos apresentados. Apesar do distanciamento espacial e temporal entre os protocolos, e guardadas as devidas proporções, entendemos que as diferenças relevantes se referem à direção dramática. Claro que a personalidade dos diretores também está em pauta.

## Considerações finais

Sinto-me invadida por uma forte emoção. Afinal, ao longo de mais de três décadas de exercício profissional como psicóloga, os sociodramas de temática racial certamente são os que mais me desafiam e, por isso mesmo, me motivam a continuar pesquisando, trabalhando, dialogando. Estou convicta, evidentemente pela minha história pessoal, de que falar das dores a partir dos sentimentos de excluir e de ser excluído é muito difícil, mas necessário, para que possamos, como grande grupo, chegar à transmutação. Para transmutar, contudo, segundo Reñones, é necessário despedir-se de algo que nos impede de nos abrirmos para o novo. E, no meu entender, em se tratando das relações entre negros e não negros, o novo significa abrir-se para ver o outro como pessoa.

As cenas que temos dirigido nos palcos sociodramáticos são comuns no cotidiano de nossas relações pessoais e profissionais. Retratam parte dos estereótipos que habitam o coconsciente e o coinconsciente do grupo, carregados de valores que são projetados e introjetados nas inter-relações: "As marcas do colonizado permanecem durante séculos […] como colonizados, internalizamos o outro sem nos reconstruirmos. Somos nós e nossos inimigos. Somos uma confusão de identidades" (Fonseca, 2010, p. 209-11).

Entendo que o sociodrama nos possibilita trazer ao palco esse cotidiano e que cada participante pode experimentar novas formas de interação ao defronta consigo mesmo e com o outro. As indagações que fiz ao longo do capítulo e os dramas trazidos em diferentes palcos confirmam-me que, como psicodramatistas, podemos e devemos intervir nessa realidade. Porém, para tanto, devemos conhecer o processo de colonização, do qual, como brasileiros, não escapamos, pois sofremos do mesmo mal, quer estejamos no papel de colonizados ou de colonizadores.

Por meio de mecanismos de pressão psicológica e de alienação, a ideologia colonial projetou no negro valores de inferioridade, cuja finalidade principal era convencê-lo de que sua sobrevivência estava na incorporação dos valores culturais do branco. Eis o processo de "embranquecimento" cultural, que representou para o negro a negação e o distanciamento de si mesmo. Alguns negros percebiam que uma possível saída para essa situação seria a retomada de si mesmo, retomada esta que passa por se contrapor ao sistema vigente por meio da "aceitação de sua herança sociocultural que, de antemão, deixaria de ser considerada inferior. A esse retorno chamamos negritude [...] enquanto movimento, a negritude desempenhou historicamente seu papel emancipador" (Munanga, 1986, p. 6-7).

A fim de resgatar uma identidade negra brasileira – que alguns pesquisadores preferem chamar de afrodescendente –, faz-se necessário o processo de autoafirmação, no sentido de se nomear negro. Para Munanga (1986, p. 5),

> sem a escravidão e a colonização dos povos negros da África, a negritude, essa realidade que tantos estudiosos abordam, não chegando a um denominador comum, nem teria nascido. Interpretada ora como formação mitológica, ora como movimento ideológico, seu conceito reúne diversas definições nas áreas cultural, biológica, psicológica, política e outras.

Souza (1983, p. 17-18) mostra a importância de atentarmos para as consequências da discriminação e do preconceito no que se refere à emocionalidade:

> Saber-se negra é viver a experiência de ter sido massacrada em sua identidade, confundida em suas perspectivas, submetida a exigências, compelida a expectativas alienadas. Mas é também, e sobretudo, a experiência de comprometer-se a resgatar sua história e recriar-se em suas potencialidades.

Tais reflexões de Souza me fizeram pensar na possibilidade de colocar a minha experiência como psicodramatista a serviço da comunidade, em especial da comunidade negra, imersa em suas carências, mas também mergulhada, em sua maioria, num legado próprio de ideal de liberdade. É nesse sentido que, para mim, psicodrama e negritude interseccionam-se, na medida em que convergem para o mesmo ponto. Moreno também nos fala de um ser libertário:

> Moreno, em sua teoria de papéis, refere-se a uma graduação de liberdade da espontaneidade no desempenho de papéis: o *role-taking*, que corresponde a assumir ou adotar um papel, incluindo, portanto, o seu aprendizado; o *role-playing*, que significa representar, desempenhar plenamente um papel; e, finalmente, o *role-creating*, a possibilidade de criar, inventar e contribuir a partir da prática de um papel. (Fonseca, 2010, p. 213)

A memória dos antepassados muito contribuiu e ainda contribui com o processo de resgate da história do negro no Brasil: uma história que contém o passado refletindo o presente, uma memória que está relacionada com o tempo e o espaço em que a história se fez (ou se faz) presente. Por meio da lembrança, o legado dos costumes e das tradições é passado dos mais velhos para os mais jovens, tornando a história viva, algo que se renova e se perpetua. Ao desempenhar o papel de liberto, seja na fuga e na constituição de quilombos, seja no uso dos meios legais para assegurar direitos iguais como cidadão brasileiro, o participante do sociodrama pode, a partir do exercício desse papel, criar e inventar, recriar e reinventar.

Nessa perspectiva, o Teatro Experimental do Negro, os sociodramas de Guerreiro Ramos, o protocolo do problema negro-branco de Moreno e o sociodrama "Revisitando a africanidade brasileira", em seus espaços e épocas, buscam parceiros socionomistas partícipes da cocriação de uma sociedade que de fato contemple seus diferentes cidadãos.

## REFERÊNCIAS

ALMEIDA, Wilson Castello de. *Psicoterapia aberta: o método do psicodrama, a fenomenologia e a psicanálise*. São Paulo: Ágora, 2006.

BENTO, Maria Aparecida Silva. "Branqueamento e branquitude no Brasil". In: CARONE, Iray; BENTO, Maria Aparecida Silva (orgs.). *Psicologia social do racismo: estudos sobre branquitude e branqueamento no Brasil*. Petrópolis: Vozes, 2002, p. 26.

FONSECA, José. *Psicoterapia da relação: elementos de psicodrama contemporâneo*. São Paulo: Ágora, 2010.

_____. *Essência e personalidade: elementos de psicologia relacional*. São Paulo: Ágora, 2018, p. 70.

GUIMARÃES, Antonio Sérgio Alfredo. "Introdução". In: *Fac* - Edição fac-similar do jornal dirigido por Abdias do Nascimento. Rio de Janeiro, n. 1 a 10, dez. 1948-jul. 1950. São Paulo: Editora 34, 2003, p. 11 e 12.

MALAQUIAS, Maria Célia. *Revisitando a africanidade brasileira: do teatro experimental do negro de Abdias do Nascimento ao protocolo "Problema negro-branco", de Moreno*. Monografia para obtenção do título de psicodramatista didata supervisora. São Paulo: Sociedade de Psicodrama de São Paulo, 2004.

MALAQUIAS, Maria Célia; AMADO, Paulo. *Psicodrama e a subjetividade palmarina: da senzala à Palmares*. Águas de São Pedro: Annaes do II Congresso Ibero-Americano de Psicodrama, 1999.

MEZHER, Anibal. "A abordagem dos valores ético-culturais pelo axiodrama". In: MORENO, Jacob Levy. *Psicoterapia de grupo e psicodrama*. São Paulo: Mestre Jou, 1974.

_____. "A abordagem dos valores ético-culturais". In: *A ética nos grupos: contribuição do psicodrama*. Prefácio de Pierre Weil. São Paulo: Ágora, 2002.

MORENO, Jacob Levy. *Psicodrama*. São Paulo: Cultrix, 1975.

_____. *Quem sobreviverá? Fundamentos da sociometria, psicoterapia de grupo e sociodrama*. Goiânia: Dimensão, 1992-1994, 3 v.

MULLER, Ricardo Gaspar. "O teatro experimental do negro: projeto político-pedagógico". *Revista Educação & Sociedade*, n. 49, São Paulo, dez. 1994, p. 560.

MUNANGA, Kabengele. *Negritude, usos e sentidos*. São Paulo: Ática, 1986.

_____. *Revisitando a africanidade brasileira: do teatro experimental do negro de Abdias do Nascimento ao protocolo o problema negro e branco de Moreno*. São Paulo: Sociedade de Psicodrama de São Paulo, 2004.

NASCIMENTO, Abdias do. *Teatro Experimental do Negro: testemunhos*. Rio de Janeiro: Edições GRD, 1966.

_____ (org.). *O negro revoltado*. Rio de Janeiro: Nova Fronteira, 1982.

_____. *Quilombo: vida, problemas e aspirações do negro* (edição fac-similar do jornal dirigido por Abdias do Nascimento, Rio de Janeiro, n. 1-10, dez. 1948-jul. 1950). São Paulo: Editora 34, 2003.

RAMOS, Guerreiro. "Uma experiência de grupoterapia". *Quilombo: vida, problemas e aspirações do negro*, n. 4, p. 7, jul. 1949.

_____. "Teoria e prática do psicodrama". *Quilombo: vida, problemas e aspirações do negro*, n. 6, fev. 1950, p. 6-7.

_____. "Apresentação de grupoterapia". *Quilombo: vida, problemas e aspirações do negro*, n. 5, p. 6, jan. 1950.

_____. "Teoria e prática do sociodrama". *Quilombo: vida, problemas e aspirações do negro*, n. 7/8, p. 9, mar./abr. 1950.

REÑONES, Albor Vives. "Catarse de integração: uma pequena viagem etimológica--conceitual". *Revista Brasileira de Psicodrama*. São Paulo: Federação Brasileira de Psicodrama, v. 4, n. 2, 1996.

SOUZA, Neusa Santos. *Tornar-se negro: as vicissitudes da identidade do negro brasileiro em ascensão social*. Rio de Janeiro: Graal, 1983.

VÁRIOS AUTORES. *A ética nos grupos: contribuição do psicodrama*. São Paulo: Ágora, 2002.

# 5. O grito de Narciso

*Dalmiro Manuel Bustos*

O jovem Narciso passava seus dias admirando a própria imagem. Ao fazê-lo, não podia evitar um sorriso complacente. Festejava com alegria cada gesto novo. Cada ideia era genial. Uma sensação de tristeza aparecia de vez em quando. Mas ele rapidamente se convencia de que não havia motivos para se sentir assim. Tinha de tudo, e ninguém se comparava a ele.

Pela região rondava Cronos, o senhor do tempo. Todos inventavam artifícios para evitá-lo, mas a maioria acabava por admitir a impossibilidade de fazê-lo. Não sem antes tentar de tudo: magos, cosmetólogos, cirurgiões plásticos, presidentes, deputados, todos ensaiavam formas enganosas de poder. Mas ninguém conseguia deter o avanço de Cronos. Afrodite, Ártemis, Zeus, Netuno e muitos outros haviam tentado frear o imparável tempo. Olhavam desconcertados para os mortais que, inutilmente, acumulavam poderes para dominá-lo. Sorriam ao ver alguns que tinham poder econômico, adoravam papeizinhos com os quais pensavam parar o tempo e depois buscavam o poder político. Decidiram pegar o exemplo de Narciso e depreciaram a todos os que não foram iguais a eles, construíram muros, exterminaram aqueles que se atreviam a ser diferentes, inferiores.

Cansado de ver Narciso inclinado no lago, Cronos decidiu aproximar-se e lhe tocou as costas. Assustado, e sem outro recurso, Narciso desviou o olhar do lago e, ao ver o mundo atrás de si, lançou um grito de terror. Gente que ousava se comparar com ele. Mas rapidamente teve uma ideia que até o momento ninguém tivera: semear o caos, a guerra, colocando todos contra todos, numa luta destrutiva pelo predomínio. Homens contra mulheres, todos contra aqueles que se diferenciassem, brancos contra negros. A instrução: destruir o diferente. Narciso encontrou nesse cenário um lago no qual se viu refletido novamente. Qualquer instrução era válida para formar grupos contra alguém.

Cronos sentia pena de todos. Porque, sem fazer nada, ao final ele os esperava.

Utilizo-me dessa versão mais que livre dos mitos gregos para introduzir o tema dos preconceitos e do racismo. Como meu método para comunicar o tema em questão é psicodramático, vou começar com minhas experiências pessoais, as que sustentam meus caminhos e meus pensamentos.

A matriz da minha vida deu-se dentro de uma família argentina de classe média, cujos objetivos eram culturais. Minha mãe, professora, era filha de imigrantes franceses, de origem humilde, mas com ambições intelectuais. Meu pai pertencia a uma família tradicional, com antigas e profundas raízes argentinas, ainda que eu tivesse uma avó vasca, de sobrenome Larraburu. Dos meus quatro irmãos, três tornaram-se profissionais destacados. Meu pai não tinha diploma superior, mas via a medicina como a profissão mais hierarquizada. Minhas irmãs queriam ser médicas, mas o primeiro preconceito vivido em nosso lar foi entender que as mulheres só podiam aspirar à docência, e assim foi. Meu irmão, dez anos mais velho que eu, tornou-se engenheiro, embora sonhasse ser aviador, violinista ou médico. Ainda que não fosse explícito, havia um protocolo: um caminho traçado com um ideal para cada um. Recordo que, durante um almoço qualquer, assustei-me com a aparição de um inseto. Minha irmã mais velha disse-me, rindo: "E você quer ser médico, assustando-se com um pobre bichinho? Médico?" Aos 8 anos, eu nunca havia pensado em ser médico. Mas fui. A verdade é que minha paixão era a pintura, mas não sabia que isso podia ser profissão. A medicina era o centro da admiração familiar. Várias gerações me precederam e continuam sendo a marca registrada da nossa família. Para ambos os lados, o estudo era um meio privilegiado para subir na vida. E todos cumpriram seu objetivo.

Por que comecei este trabalho com mitos arcaicos? Eu poderia remontar à Bíblia e aos conceitos que precedem os fatos e se sustentam sem um fato que os sustente... De agora em diante, analisarei como esses preconceitos falaciosos vêm prejudicando determinados grupos humanos ao longo dos séculos.

**NEGROS**

Segundo muitas pesquisas, a origem da espécie humana deu-se na África.

Quando me formei em Medicina, mudei para os Estados Unidos a fim de especializar-me em Psiquiatria, a princípio estabelecendo-me em Nashville, Tennessee. Com 22 anos de idade e cheio de esperanças, sonhos e entusiasmos, deparei com uma realidade que estava muito distante da ideal. Cinemas, bebedouros, banheiros, assentos nos transportes públicos, escolas e incontáveis outros equipamentos públicos segregados para as pessoas negras, devido à vigência das leis de Jim Crow. Minha ascendência europeia e meus olhos claros permitiram-me trabalhar nos setores para pacientes brancos. Já meus colegas judeus eram restritos aos setores para pacientes negros. Apesar de não ser branco no entendimento dos americanos, minha ascendência europeia e meus olhos claros permitiram-me trabalhar nos setores para pacientes brancos. Já meus colegas judeus eram restritos aos setores para pacientes negros. Um companheiro de residência era chileno, com aparência mais ou menos andina. Fomos a um restaurante. Abriram a porta para mim, sem permitir o acesso ao meu amigo.

Mas o mais terrível para ilustrar essa situação foi o seguinte: o subdiretor do hospital passava para me buscar todos os dias, a caminho de meu trabalho, precedido por Tony, um negro a quem chamava de *doggie*. Depois eu soube que era uma forma arrogante pela qual chamavam os negros. Também me inteirei de que, como a zona estava coberta de pântanos, podiam aparecer serpentes ou outros animais nocivos pelo caminho. Um dia, avistei o subdiretor sem Tony, e perguntei o motivo a uma assistente social do hospital, de origem filipina. O que ela me contou me gelou o sangue. Um dia por mês, membros da Ku

Klux Klan sequestravam um negro e, à noite, o soltavam nos pântanos. Davam-lhe 20 minutos de vantagem e então soltavam os cachorros. Caso a vítima corresse rápido, se salvava. Tony havia sido o escolhido daquele mês. A cor da pele outorgava o direito sobre a vida ou a morte de alguém.

Isso eu já havia comprovado durante minha residência. Uma bebê de uns 8 meses chegou queimada à guarda, porém não havia uma ala para queimados negros. Corri com a *pequeña* Deborah até o setor de brancos, onde havia leitos sobrando. Não nos esqueçamos de que estávamos no meio da guerra de Little Rock, que se encontrava na outra margem do rio Mississipi. Não me permitiram deixar a bebê na sala de brancos, e Deborah morreu desidratada em meus braços. Tanto Deborah como Tony continuam em minhas veias, lembrando-me de que não quero pertencer a esse mundo assassino. Zerka Moreno escreveu um artigo chamado "The ethical anger" [A agressão ética] e naquela época eu soube claramente do que se tratava.

Assim que pude, mudei-me para o Norte do país. Em Boston, Massachusetts, os preconceitos estavam amortecidos por uma cultura na qual reinava o politicamente correto. Os preconceitos não se faziam evidentes, apesar de estarem ali. No hospital em que fiz a residência, havia preconceitos, mas eles subjaziam, o que tornava o ar mais respirável. Mas em meus cinco anos de permanência na instituição não tive nenhum colega negro.

Muitos se assombraram pelo triunfo de Donald Trump nas eleições presidenciais de 2018. Mas, a meu ver, apenas emergiu à superfície um aspecto da cultura americana que, não casualmente, se evidenciou depois do descuido imperdoável dos verdadeiros donos do país (os grandes capitais) de haver permitido que um negro assumisse a condução da Casa Branca. É preciso recordar que os afro-americanos só puderam votar a partir de 1965, com a assinatura da lei dos direitos de voto e com a conquista da inconstitucionalidade das leis de Jim Crow. Sem esse direito não se pode falar em democracia, e Trump veio pôr as coisas de volta em seu lugar, como o muro que marca o predomínio branco. Trump, assim como Hitler ou Mussolini, é apenas a face visível de um mal subjacente, presente de diferentes maneiras desde que o mundo é mundo: a ameaça do diferente e o controle do poderoso. Narciso seria branco? Seguramente teria um topete loiro.

**SEXUALIDADE E GÊNERO**

Vejamos agora outro dos muitos fatores de discriminação: o sexo. Na década de 1950, no manual diagnóstico da Associação Psiquiátrica Americana, havia uma seção denominada "Perversões". Tratava-se de uma categoria que incluía a homossexualidade, ao lado de distúrbios como esquizofrenia e psicose maníaco-depressiva (hoje chamada de bipolaridade), entre outras. A homossexualidade, portanto, era rotulada como perversão, desvio da normalidade. Claro que já era um avanço diante da demonização anterior. Agora, ao menos era uma instância inserida numa categoria médica. A ciência vai fazendo descobertas que mudam a visão dos fatos, como a descoberta de que o Sol orbita ao redor da Terra, que por sua vez não é plana. Só que o sofrimento causado por essa categorização mutilou muitas vidas. "Disso" não se fala, é mau, anormal. Diagnósticos que reduziam características como variedades existentes da sexualidade humana desde que o mundo é mundo a um lugar de enfermidade ou, o que é pior, de pecado. Era uma questão moral.

Em meus primeiros anos de prática privada, já instalado na Argentina, atendi um casal já idoso, cuja filha era minha aluna da universidade católica. Seu filho, a quem chamaremos de Ramón, não queria sair de casa. Chorava e permanecia fechado. Tinha 22 anos. As primeiras entrevistas não permitiam uma aproximação ao seu sofrimento. Pouco a pouco, porém, começou a aparecer seu medo de ser anormal. Dizia ser um ser desprezível. "Confessou" estar apaixonado por um empregado do comércio de seus pais. Depois de um lento processo, chegou a se perguntar por que via sua preferência sexual como algo anormal. Começou a sair de casa e a voltar tarde. Os pais foram ao consultório para me dizer que Ramón estava pior. Eu os tranquilizei. É compreensível que, de acordo com sua formação ultracatólica, não pudessem compreender que o filho fosse homossexual. Para eles, era um pecado normal, tão somente justificável como uma enfermidade. Logo, proibiram Ramón de continuar me consultando e o levaram a um psiquiatra tradicional, que o medicou fortemente. Ramón voltava à sessão quando podia escapar. Um dia, porém, sua irmã telefonou-me para dizer que os pais haviam posto um investigador particular que me seguia, para encontrar algo em minha conduta com o objetivo de me extorquir. Eu não tinha me dado conta. Ou o detetive era muito bom, ou eu, muito ingênuo. Pouco depois, soube por ela que Ramón havia sido internado em um hospital psiquiátrico – e que minha entrada estava proibida. Num domingo de Páscoa, Ramón me ligou desesperado, contando que lhe estavam administrando eletrochoques. Tratei de interpor um recurso judicial, mas pouco depois fiquei sabendo que Ramón tinha morrido durante uma das sessões de eletrochoque.

Ramón foi outro de meus professores de vida.

O desconhecimento substituído pelo preconceito mata. O conceito e a norma olham apenas para o que acontece com aquele ser humano diante de nós. Ainda que isso, no cotidiano, não figure entre os preconceitos que geram manifestações, é causa de sofrimento. Há pouco consultei um especialista em virtude de uma dor precordial mínima. O protocolo fez que me submetessem a uma série de procedimentos desnecessários, com indicação de internação. Eu era um sintoma, não uma pessoa. Isso ocorreu em uma clínica privada muito boa, e apesar de eu ser médico. E é o que ocorre em todos os lados: a necessidade de abreviar procedimentos para aproveitar melhor o tempo. A mecanização desumaniza os atos médico-psicológicos. Quando uma pessoa, como paciente, se sente um objeto, vivencia um sofrimento tolerado como "natural". E não vi nenhum protesto massivo contra cssc modo de "abreviar" o tempo. Não tenho dúvida de que os sintomas de uma enfermidade se agravam diante desses modos iatrogênicos de proceder. Observando a dinâmica cotidiana, podemos notar a quantidade de preconceitos incorporados como naturais. Qualquer diferença permite a categorização de inferior. Tocam a campainha de minha casa. De fato, espero pelo correio e pelo filho de um paciente que deveria vir buscar uma receita. Abro e automaticamente dou sinal de passagem ao moço loiro e magro, filho de meu paciente, e identifico o moço moreno, com cara de andino, como o empregado do correio. Era o contrário. Seriam tantos os exemplos que convido o leitor a olhar seu afazer cotidiano e encontrar preconceitos discriminativos que habitam nossas condutas.

Outro dos trágicos acontecimentos de nossa cultura atual é o feminicídio: a mulher foi escalando degraus do lugar de reprodutora e cuidadora de crianças até atingir a possibilidade de sair da predeterminação por gênero e utilizar suas outras capacidades não biologicamente determinadas, conquistando desde o acesso a estudos superiores até a disputa por igualdade de remuneração e de oportunidades laborais. Assim, os movimentos feministas crescem e criam consciência de direitos. Por outro lado, esse crescimento ameaça o predomínio do homem, e seu poder se vê ameaçado. Poder, aliás, falso, que custa ao homem encurtar sua meia-vida. O objetivo é o poder de conseguir, poder secundário. A mulher tem no próprio corpo o poder reprodutivo, poder primário. Se lhe agregamos o poder secundário, torna-se uma ameaça. Por que um educador recebe sempre menos do que um corretor da bolsa de valores? Afinal de contas, o futuro de uma comunidade depende mais do saber como base do fazer. Em toda sociedade organizada existem representantes dos valores arcaicos. Nós os vemos diariamente dizendo coisas que pertencem a séculos atrás.

Enquanto as mulheres ocupam lugares de poder impensados, sempre há homens que defendem seu predomínio a qualquer preço, inclusive utilizando o assassinato. É a fúria assassina diante da invasora de seus "direitos naturais outorgados por Deus". Fiquei surpreso ao saber que, na semana seguinte a uma manifestação multitudinária proclamando "Nenhuma a menos", em Buenos Aires, o número de feminicídios aumentara. Como? Narciso grita aterrado e furioso. Só é possível compreender esse dado como um contra-ataque. O arcaico se mantém em algum lugar. Não desaparece, e, enquanto uma parte do universo muda constantemente, outra fica escondida. Silenciosa, oculta sob discursos "politicamente corretos", mas pulsando por sair. Misógino, despótico, racista. Escutei milhares de vezes em conversas não publicáveis.

Agora saíram à luz. Não me alegra, mas talvez seja a forma de tomar consciência de sua existência. O ideal democrático de um país esconde essa escória. Desde sempre. Para que haja uma cura é necessário ter um bom diagnóstico.

**OUTROS**

Durante a Inquisição, muitos judeus mudaram seu sobrenome, já que por portá-lo podiam ser condenados e executados. A Igreja Católica era a encarregada de conservar a pureza da raça humana. Até hoje muitos sobrenomes são modificados para ocultar sua origem.

Meu primeiro contato com esse problema foi durante o ensino fundamental. Juan era um gordinho ruivo, tímido e corado. Estava sempre mergulhado em suas coisas. Tampouco eu era muito sociável, mas às vezes trocávamos algumas palavras. Ser judeu ou não não era significativo para mim. Em casa, isso não era tema de conversa. Até que um dia, ao sair da escola, vi como o insultavam. Quis defendê-lo, dizendo que eu era seu amigo. Juan me olhou com espanto. Uma vez terminada a briga, ele me disse que não queria ter amigos que não pertencessem à coletividade judaica. Sua família não permitiria. Recordo minha surpresa. Judeus e não judeus. Outro engano deliberado de Narciso. Pessoalmente, minha vida me levou a ter amigos por afinidade afetiva e não por etnia, cor da pele, classe social ou religião. Mas a brecha permanece, e muito mais seriamente do que se pensa.

**O PSICODRAMA**

Todo o pensamento da obra de Moreno contém um princípio integrador. Em seu primeiro livro escrito, ainda em sua vintena e antes de se tornar médico, Moreno reflete: "Tudo o que nasce é sagrado" (*As palavras do pai*, 1992). O tema da discriminação sempre atraiu Moreno, e os mais vulneráveis (como crianças, imigrantes e prostitutas) foram os protagonistas de suas propostas.

Ele mesmo sofreu discriminação, e, a meu ver, suas buscas que iam além do consagrado e sua inquietante criatividade tiveram origem nessas circunstâncias; o convencional nunca o atraiu. Seu epitáfio, inscrito na urna que guarda suas cinzas, diz: "Quero ser recordado como o homem que levou alegria à psiquiatria". Resiliente, sempre se colocou ao lado do desvalido. Sua carência afetiva se converteu em sua fonte criativa, característica encontrada em toda a sua obra. Nunca se identificou com um grupo humano. Judeu sefardita por parte de pai, asquenaze por parte de mãe, era psiquiatra, mas não exerceu a profissão, assim como não fez cursos formais dentro de modelos ortodoxos. No entanto, sempre quis ser aceito pelos meios acadêmicos. Buscava o reconhecimento, mas o método que usava para consegui-lo era o ataque e o enfrentamento. Opor-se a Freud – o monstro sagrado da cultura do século XX – era, à época, um desafio à sacralização de sua figura. No episódio em que foi enfrentado por Moreno, Freud relata que, ao finalizar uma conferência, este lhe disse: "Você analisa os sonhos de seus pacientes a partir de seu divã, já eu os ajudo a sonhar". Realidade suplementar criada por Moreno, já que nesses tempos ele ainda era um jovem estudante que não tinha pacientes.

Seu interesse nos aspectos sociais o levou a formular o sociodrama, método usado para compreender e trabalhar com grupos. A sociometria ajuda-nos a compreender as configurações grupais. Seu ideal grupal é uma rede formada por relações recíprocas. Ainda muito jovem, Moreno escreveu o *Manifesto de Mittendorf*, em que propõe uma maneira de organizar um campo de refugiados. Toda sua obra se dirige a formular relações baseadas em afinidades, eleições pessoais e não realizadas por aqueles que ostentam o poder. São muitos os exemplos de experiências que contêm esse pensamento, que inclusive foram aplicadas pelo presidente Roosevelt em seu inovador programa de mudança social. Creio que sua atitude contestadora instalou uma resistência nos meios acadêmicos, ainda que hoje, passadas várias décadas desde sua morte, suas ideias comecem a ser resgatadas.

**FINALMENTE**

Decidi jogar uma carta forte. Liguei para o celular de Narciso, que com um riso contido atendeu. Nem quis me escutar. Disse que os planos eram válidos, mas que eu nem me preocupasse em buscar soluções.

Quanto mais se lutava para ativar a consciência social e a capacidade de compartilhar, mais ele se aliava a outros. Os seguidores de Narciso haviam crescido, fazendo que cada um se refugiasse em seu próprio lago. Martin Luther King, assassinado assim como Gandhi, e Mandela, preso tanto tempo que ganhou uma inigualável persistência, fizeram muito, mas ele sempre ganhava com novos cosméticos, novos silicones ou aparelhinhos que criavam lagos de cores. Olhe somente para você mesmo, era a ordem. Acumule mais dinheiro, não se importe que milhares estejam morrendo a seu lado. Os seguidores de Narciso têm aumentado terrivelmente. É verdade. Cada um por si. Narciso é o criador de lagos subjugantes que fazem que qualquer outro, por mais importante que seja, perca valor diante de sua própria imagem. Quando se agrupam, os induz a buscar um antagonista e começa a guerra.

Mas a essa altura vejo uma ruga de preocupação no rosto, ainda belo, de Narciso. Baixa a voz e confessa: "Os malditos grupos de pares. Em todos os lados saem a reclamar direitos, se juntam e se fazem fortes. Pares, mas não defensivamente: negros com negros, judeus com judeus se juntam como pertencentes à espécie humana. Negros, brancos, judeus, mulheres, cristãos, homens. Menos mal que agora Donald Trump veio colocar ordem na casa. Mas já não se calam..."

Volto a me olhar no lago. "Não passarão... mas melhor me apressar". Em seu horror, Narciso novamente lançou um grito, mas dessa vez lhe ocorreu o mesmo que a sua namorada Eco. Dissolveu-se no ar.

Voltei para casa a passos lentos. Escutava ao longe tambores, cantos de muita gente jovem, com grande energia e com menos feridas. E outros cujas feridas se transformaram em experiências e a dor, em força. De muito longe escutei uma canção que sempre me acompanhou quando vivi nos Estados Unidos: "We shall overcome". E não lhe ocorria o mesmo que à miserável Eco: ao se reproduzir, aumentava sua potência.

# 6. Negritude

*Sergio Perazzo*

Casualmente, Machado de Assis, na descrição de um acontecimento banal em *Dom Casmurro*, esboça um personagem que convida outro para almoçar, e este se mostra relutante em aceitar o convite. O primeiro personagem então insiste: "Manda-se lá um preto dizer que o senhor fica almoçando e irá mais tarde".

É o mesmo Machado de Assis que descreve, num conto magistral, "Pai contra mãe", o contraste e os pontos de contato entre um homem branco apanhador de escravos fugidos e uma escrava negra.

O branco não tinha até então um emprego fixo. Vivia de procurar nos jornais anúncios sobre escravos fugitivos e saía à caça da gratificação que tal trabalho rendia. Porém, com a aproximação da abolição da escravatura, os escravos começaram a rarear, comprometendo o seu negócio e tornando-o ainda mais pobre. Para piorar a situação, sua mulher estava grávida, e ambos tinham decidido, dolorosamente e de comum acordo, entregar o filho para adoção.

Assim, quando o bebê nasce, o apanhador de escravos encaminha-se para a igreja, a fim de deixar o filho para a caridade alheia. No caminho, contudo, vislumbra uma escrava fujona. Deixa o bebê temporariamente numa farmácia, prende a escrava, recebe a gratificação e livra-se, ao menos por ora, de entregar o filho à adoção, recuperando-o.

A escrava fujona, no momento em que é capturada por ele, aborta o filho que tinha no ventre. Um filho trocado por outro, em igual estado de pobreza, mas apenas um deles com direito à sobrevivência. Fruto da escravidão e da negritude, aqui, num sentido geral da época, associadas.

Cora Coralina, em um de seus poemas, conta como era a vida antigamente, nas fazendas do interior. Conta a história de uma menina negra que serve de reflexão de como as crianças pobres, independentemente da cor, eram maltratadas e discriminadas. Os doces eram guardados em compoteiras, nas prateleiras mais altas, fora do alcance das crianças. Eram reservados às visitas. Se não houvesse visitas, os doces estragavam, mas não eram dados às crianças. Qualquer travessura obrigava a criança a colocar um caco de louça pendurado por um barbante no pescoço como sinal do malfeito e um aviso para as demais.

A menina negra, que vivia enrodilhada como um gato na cozinha, acaba morrendo durante o sono perfurada pelo caco que levava no pescoço. Criança, assim como escravo, não tem direitos. E é assim que, nesse mundo através da história, se sucedem as mais pavorosas variedades da crueldade humana, de uma lista interminável, identificando a vítima ora por um colar de caco de louça, ora pela simples cor da pele.

Tanto no período pré-abolicionista quanto no pós-abolicionista muito tem sido escrito sobre preconceito, violência e discriminação; o assunto jamais se esgota, mas é como se tudo já tivesse sido dito sobre tais temas. Tenta-se a maquiagem do "politicamente correto", chamando o negro de "afrodescendente", como se isso fosse um passo na conquista dos direitos humanos, que, embora não deixe de ser, reveste a questão com um verniz até certo ponto pomposo e distante, aparentando transformar a palavra "negro" em xingamento público. É como chamar favela de "comunidade", na esperança de transformar uma implacável realidade social, com esgoto a céu aberto, em uma classificação arquitetônica e urbanística minimamente mais aceitável e digerível.

Há certo tempo, assisti na televisão a uma entrevista com o meio-campista Gérson e o "rei" Pelé, dois imortais da bola da seleção de 1970. Entre risadas, Gérson contava sobre um lance decisivo do jogo contra a Itália; o ex-jogador abraçava Pelé e dizia algo como: "E aí eu rolei a bola aqui pro crioulo, que matou no peito e..." Pelé ria satisfeito e retribuía o abraço do companheiro. Em nenhum momento a palavra "crioulo" foi sentida como depreciativa. Era a atitude natural naquele momento, porque se adicionava um tempero afetivo na maneira de dizer.

Tempos depois, Gérson gravou um comercial em que vendia um produto qualquer, dizendo ao consumidor que ele "levaria vantagem" com a nova aquisição, piscando o olho em mímica de cumplicidade. Foi o suficiente para o brasileiro passar a chamar de "lei de Gérson" as situações de levar vantagem um tanto malandramente, ou mesmo fraudulentamente, nascendo assim uma nova gíria. O próprio Gérson, mais tarde, arrependeu-se publicamente de ter gravado o comercial e de ter seu nome ligado a algo potencialmente desonesto. É como se o feitiço tivesse se virado contra o feiticeiro.

*Mutatis mutanti*, eu mesmo, como grande parte dos brasileiros, sou produto de uma miscigenação de raças. Uma de minhas bisavós, com quem convivi vários anos, era mestiça. Em família, pelos cantos, dizia-se de uma de minhas tias-avós aos sussurros: "Tia Esmeralda tem cabelo ruim". E lá ia todo mundo passar brilhantina no cabelo para afastar o perigo de alguma contaminação racial, que pairava como uma poeira invisível. Coincidência ou não, dos nove filhos, tia Esmeralda foi a única que não se casou, além da que enlouqueceu (e também tinha "cabelo ruim"). Acabou por se tornar especialista nas empadinhas de camarão, que assava e levava para todas as festas da família. Alguma compensação tinha de ter.

Em resumo, na família, três mulheres representavam a mesma questão racial. A primeira, a bisavó, era a origem negra, ainda que atenuada pelo tom mestiço da pele. A segunda, Esmeralda, a tia "do cabelo ruim", era a única depositária do "sangue negro" no fio de cabelo. E a terceira carregava o rótulo de "louca", que se sobrepunha ao de "negra". Todos os demais estavam a salvo. Todos brancos. E em pleno gozo da "saúde" mental. Assim se acreditava.

É como aquele samba antigo, que a Elis Regina regravou e vem sendo alvo da patrulha do politicamente correto como se fosse a encarnação do racismo: "Nega do cabelo duro, qual é o pente que te penteia..."

Outra cena de infância: na sala de casa, entre empadinhas e copos de cerveja, os homens da família assistiam a uma luta de boxe na televisão e, rangendo os dentes, torciam: "Isso, acerta um gancho no fígado do crioulo!" O mesmo "crioulo" que retribuía o abraço do Gérson da lei da vantagem dessa vez era massacrado no ringue.

Ninguém escapa do preconceito. Seja o preto moleque de recados, coisificado como pombo-correio, seja o próprio Machado de Assis, um mestiço de mãe lavadeira do Morro do Livramento e respeitadíssimo fundador da Academia Brasileira de Letras, assim como seu primeiro presidente, que não podia imaginar, naquela época, que o mundo ainda iria ver um Barack Obama, outro negro, um "crioulo", à frente dos destinos do mundo e da chefia da Casa Branca. Ninguém escapa: o apanhador de escravos fujões, a escrava e o seu aborto, a negrinha trágica do caco de louça, os botes de refugiados africanos na costa de uma Itália que já foi fascista, o fígado do boxeador negro, o cabelo da tia Esmeralda, a "nega do cabelo duro".

Portanto, não são os fatos. Fatos existirão sempre. Não só a cor da pele, mas os contrastes da extrema pobreza convivendo lado a lado com os excessos muitas vezes corruptos da extrema riqueza, levando o mundo a um estado permanente de uma guerra cada vez mais irracional e informatizada, cuja centelha se propaga hoje através das redes sociais, que até o presidente Trump usa. Cada indivíduo é hoje sua própria agência de propaganda. Sem intermediários e com, às vezes, milhões de seguidores ocasionais. Se eu não tomar cuidado com o que digo aqui – e, talvez, mesmo que tome –, facilmente posso ser identificado com a direita ou com a esquerda naquilo que elas têm de pior, embebido em pólvora, ou seja, em preconceito, independentemente de qual seja o alvo.

Falamos aqui de cor e tom de pele como exemplo. De negritude. De orgulho racial. De postura e atitude como pequenos passos para reencontrar o humano. Assistimos, nos anos 1970, a esse orgulho racial ser levado a extremos, por movimentos como o Black Power, ou através da beligerância ostensiva dos Panteras Negras e seus punhos fechados. São inúmeros os exemplos de desportistas negros vitoriosos, campeões olímpicos, astros do basquete etc., vários dos quais se tornaram milionários, graças a uma carreira de vitórias. Não há novidade nisso. Ou na música, seja no samba ou no *jazz*, com suas tietes na fila de autógrafos. Só para dar um exemplo, nessas duas áreas, de negros cultuados internacionalmente.

Tal panorama contrasta com medidas como a reserva de cotas para negros nas universidades do país, tendo em vista colocá-los em condições de igualdade em um mercado de trabalho dominado pelos brancos, porém sem resolver as diferenças sociais básicas e sem melhorar as condições do ensino público, tampouco de formação e aperfeiçoamento dos professores do ensino básico, sempre distanciados do padrão de qualidade do ensino privado. Há, para isso, alguma solução à vista? Alguma disposição política realmente eficaz, além de bem-intencionada? Vamos nos contentar em permanecer em estágios provisórios e intermediários?

Vestir a camisa da negritude é o começo. Significa investir-se de uma postura ancorada no orgulho racial sem remendos politicamente corretos. Ou, como diria Moreno, o criador do psicodrama, dar a si mesmo o direito de incorporar sua parcela de megalomania, um direito inalienável de todos nós.

O que Moreno quis dizer com isso é que o sentido da vida depende de nos apoderarmos – não ousaria dizer integralmente, mas tanto quanto possível – de nossas inesgotáveis capacidades criativas, único meio possível de confrontar e derrubar as conservas culturais que governam e imobilizam o mundo a partir de nosso próprio universo pessoal.

O homem busca incessantemente o que Moreno chamou de sua verdade psicodramática e poética, cada um sendo o deus de si mesmo e do outro. Portanto, tal dimensão humana só pode ser compreendida se inclusa no movimento permanente do homem em relação. Assim, essa verdade psicodramática e poética só pode ser alcançada na vivência do encontro com o outro. Sem barreiras. Sem preconceitos. Tal processo precisa de uma alavanca, e essa alavanca nada mais é que nossa realidade suplementar, uma instância psíquica que representa o campo de atuação de nossa espontaneidade e criatividade. Trata-se, aqui, de conceitos básicos de Moreno, sem os quais o psicodrama não pode ser compreendido.

Ora, a nossa realidade suplementar se intercruza permanentemente com o plano de nossa realidade cotidiana e com a nossa criatividade. Consequentemente, é o resultado dessa interação entre a realidade cotidiana e a nossa realidade suplementar em relação ao intercruzamento da realidade cotidiana com a realidade suplementar do outro, em constante mutação e interação, numa coconstrução criativa que abre caminho para a experiência do encontro. Quando tal objetivo é alcançado, podemos dizer que o sujeito se apodera plenamente de sua verdade psicodramática e poética.

Olhando agora a negritude através dessa lente de aumento, fica claro que aquele que não veste seu orgulho racial, sua inteira negritude, estará pela metade na relação com o outro e, portanto, longe de incorporar sua verdade psicodramática e poética, aguardando a abolição de sua própria escravatura. O orgulho racial é e não pode deixar de ser um movimento inclusivo. O orgulho racial que não inclui torna-se opressão, como o fanatismo ariano que embasou o nazismo e tanto custou à humanidade.

Ou ainda, com um toque de humor brasileiro, nas palavras de Haroldo Barbosa e Janet de Almeida, pela voz de João Gilberto, que sintetizam a força destrutiva do preconceito e do diálogo de surdos na raiz deste tipo de discussão:

> Madame diz que a raça não melhora
> Que a vida piora por causa do samba.
> Madame diz que o samba tem pecado
> Que o samba, coitado, devia acabar.
> Madame diz que o samba tem cachaça, mistura de raça, mistura de cor [...]
> Pra que discutir com Madame?

# 7. Reflexões sobre o "complexo de vira-lata" do brasileiro: uma perspectiva psicodramática

*Denise Silva Nonoya*

### INTRODUÇÃO

As alusões ao sentimento de inferioridade do brasileiro, comumente referido como "complexo de vira-lata", são recorrentes na mídia e no meio esportivo desde que o dramaturgo Nelson Rodrigues, na década de 1950, proferiu sua célebre frase: "O brasileiro parece sofrer de complexo de inferioridade", que paira no imaginário coletivo até hoje.

Nessa direção, teóricos da psicologia junguiana se debruçaram sobre a questão, pressupondo que tal complexo estaria relacionado com a formação do povo brasileiro, particularmente no aspecto que envolve a mestiçagem ou a miscigenação. Já a contribuição da ideologia eugenista apregoava o branqueamento da população brasileira como conceito idealizado de nação.

No exercício cotidiano da clínica psicoterapêutica, muitas vezes ouvimos de nossos pacientes relatos de sentimentos de baixa autoestima, de vergonha ou de julgamentos próprios que os colocam em posição de não merecedores de sucesso ou de prestígio pela simples associação à sua cor de pele ou à sua origem racial.

Amiúde, a construção da autoimagem inferiorizada foi realizada no seio familiar, que, mesmo sendo constituído por pessoas "coloridas", não poupou comentários depreciativos, tais como: "Ela é tão bonitinha, mas o cabelo é muito ruinzinho"; "Não puxou à nossa família branca".

A grande variedade de cores de pele dos brasileiros é fonte de inquietações e de angústias, prevalecendo a valorização do modelo branco idealizado, o que é evidenciado nas relações familiares (mestiças ou não) e sociais. Percebe-se, portanto, a discriminação racista presente no âmbito social (macrocosmo) e nos contextos individual e grupal (microcosmo) das relações humanas e constata-se que o conflito étnico-racial é vivenciado intrapsiquicamente, tanto na psicodinâmica do colonizador-colonizado quanto na indagação de como apaziguá-los. O sofrimento emocional também é configurado pelo esforço de a pessoa negar suas características externas – alisando o cabelo, por exemplo – a fim de chegar a uma imagem ideal associada ao padrão branco.

Corroboro as ideias do filósofo Edmund Burke, que diz que "o povo que não conhece sua história está condenado a repeti-la", por traduzir, em nível coletivo, o caráter emocional repetitivo de algumas dinâmicas individuais e nos remeter à abordagem psicossocial para o enfrentamento e a superação do complexo em questão. E o psicodrama? Será que está olhando para essas demandas da forma como (potencialmente) pode olhar?

Cukier (2000), Malaquias (2004, 2012) e Nery (2010) têm refletido sobre de que forma o preconceito e as relações de discriminação étnico-racial desencadeiam feridas e dores emocionais nos indivíduos. No entanto, no meio psicodramático, há poucas discussões específicas sobre o "complexo de vira-lata" do brasileiro e pouca exploração do aspecto da mestiçagem como elemento que suscita pesares.

Pois bem, numa sociedade tão miscigenada como a nossa, quem é o mestiço? Como ele está sendo tratado? Como raça ou como não raça? Foi a miscigenação ou a visão histórico-ideológica que contribuiu (ou ambas contribuíram) com o aviltamento de nossa autoimagem e nos convenceu da nossa inferioridade? Partindo dessas indagações, de que forma a teoria psicodramática pode ampliar a visão da mestiçagem na construção do sentimento de inferioridade do brasileiro e contribuir para a superação do fenômeno do "complexo de vira-lata"?

Por tudo isso, proponho a exploração do papel da miscigenação na construção do sentimento de inferioridade e a reflexão do fenômeno do "complexo de vira-lata" do brasileiro na teoria e na prática psicodramáticas, a partir dos conceitos de matriz de identidade, identidade de papel, mecanismos de defesa e papel histórico.

Considerando que numa sociedade racista o poder é branco e quanto mais clara a pele menos alvo de preconceito racial, conceitos apreendidos de autores da psicologia junguiana, como Byington (2013), Gambini (1999) e Braga (2014), bem como de análises do antropólogo Kabengele Munanga (1999), e um breve resgate histórico a respeito da formação do povo brasileiro, pretendo apresentar elementos que demonstrem a necessidade e a importância da abordagem da miscigenação/mestiçagem no psicodrama.

## SENTIMENTOS DE INFERIORIDADE E O "COMPLEXO DE VIRA-LATA" DO BRASILEIRO

### Complexo de vira-lata: conceitos

No dizer psicológico, quando se fala em complexo depreende-se que sentimentos foram entrelaçados, formando núcleos mais ou menos patológicos que se desligaram do desenvolvimento emocional, levando a uma vida isolada no psiquismo. Pressupõem-se, portanto, uma disposição e uma sensibilidade particulares para ser afetado por situações específicas.

Estudiosos da psicologia junguiana, ao se referirem ao complexo, associam-no a representações inconscientes que acabam por condicionar a maneirar de agir. Segundo Braga (2014), tal complexo pode atuar como um segundo "eu" em oposição ao "eu consciente", inflando-o ou enfraquecendo-o.

Encontramos no *Dicionário Priberam da Língua Portuguesa*[1] a expressão "vira-lata", que se refere ao animal doméstico que não tem raça definida, bem como, por associação, à pessoa que não se considera refinada. O termo deriva do fato de muitos desses animais, quando abandonados, serem comumente vistos andando famintos pelas ruas, revirando latas de lixo à procura de alimento. Geralmente, os cães e os gatos considerados sem raça definida são mestiços, descendentes de raças distintas.

### Nelson Rodrigues e a expressão "complexo de vira-lata"

A criação da expressão "complexo de vira-lata" é outorgada, salvo melhor juízo, ao dramaturgo Nelson Rodrigues, ao se referir à derrota da

---

[1] Disponível em: <https://www.priberam.pt/DLPO/vira%20lata>. Acesso em: 11 abr. 2016.

seleção brasileira de futebol contra a seleção do Uruguai na Copa do Mundo de 1950:

> Por "complexo de vira-lata" entendo a inferioridade em que o brasileiro se coloca, voluntariamente, com relação ao resto do mundo. O brasileiro é um narciso às avessas, que cospe na própria imagem. Eis a verdade: não encontramos pretextos pessoais ou históricos para a autoestima. (Rodrigues *apud* Byington, 2013, p. 71)

Indiscutivelmente, Nelson Rodrigues deu realce e personificação à imagem, até então subliminar, que o brasileiro tem de si, quando o associou aos vira-latas. A expressão extrapolou os limites da área desportiva e pode ser resgatada em diversas fases da história da nação, em especial quando vivemos momentos de discussão do empoderamento do povo brasileiro.

No campo da psicologia, esse termo obteve importante significado. Segundo Mariotti (2006), o tema do "vira-lata" é habitualmente presente entre nós e tende a oscilar "entre períodos de euforia e fases de autodesvalorização". Para o autor, questões como a tristeza e a baixa autoestima se tornaram clichês no discurso e no pensamento do povo brasileiro.

**Contribuição do pensamento junguiano**

Braga (2014, p. 2) aborda o tema e o relaciona com um incômodo, com um desmedido pessimismo e com a falta de coragem de se posicionar diante de algo considerado maior ou mais forte.

No âmbito das relações intra e interpessoais, como o "complexo de vira-lata" é apreendido? Quando o *mérito e a imagem em relação a outras pessoas são vivenciados com profundo sentimento de desigualdade e inadequação* em razão da cor da pele ou da origem racial. Por vezes, sinais de hostilidade, agressividade, apatia e timidez se tornam visíveis.

A autoimagem depende da opinião pública, sendo influenciada pelo senso comum. Internamente, não há permissão para pedir a palavra, ir em busca de um trabalho melhor ou que exija visibilidade, tampouco para brigar pelos seus direitos. Na mesma direção, Byington (2013, p. 71) relaciona o uso do termo "complexo de vira-lata" com várias causas possíveis,

> [...] mas principalmente à nossa insegurança e autodesqualificação diante do mundo branco, europeu e norte-americano [...]. Ampliado ao cachorro vira-lata, não há como negar que sua principal característica é o de não ser um cachorro de raça pura e sim um miscigenado.

Nessa lógica, a singularização da identidade é conflitiva, realizada na negação da origem negra e índia e na valorização da parcela branca. Mas por que se apartar da identificação com a cota negra do indivíduo? Por que negar essa identidade? Por certo, tais indagações nos fazem buscar referências na história acerca de elementos que contribuíram na construção da identidade e no processo de formação do povo brasileiro, para que possamos tentar compreender os enunciados ideológicos envolvendo o *ser negro* e a miscigenação. Assim, no próximo tópico, apresento a formação do povo brasileiro e os possíveis impactos das relações históricas de poder no desenvolvimento do complexo de inferioridade.

**FORMAÇÃO DO POVO BRASILEIRO**

A retrospectiva histórica contradiz, em certos aspectos, o ideal da convivência idílica entre as três raças. Em breve análise, é possível perceber relações de subjugação e de poder de uma em detrimento das outras, concomitante à imposição de um ideal branco europeu, a fim de redimir a nação e dissipar seu passado colonizado.

Ao discorrer sobre a formação de nosso povo, o professor Gilberto Maringoni[2] traz à tona a necessidade de incutir o "complexo de vira-lata", ao indagar: "Como é que você mantém um escravo trabalhando, além do chicote? Você precisa convencê-lo de que precisa trabalhar e de que não pode fazer nada melhor do que [...] um trabalho

---

[2] Em depoimento para o documentário *O complexo de vira-latas*, dirigido por Leandro Caproni (Cabrueira Filmes/Sem Cortes, 2014). Disponível em: <https://www.youtube.com/watch?v=2_WD7dqGbzk>. Acesso em: 2 dez. 2019.

embrutecedor [...], braçal. [...] Para isso você tem que mostrar que ele é inferior, [...] racialmente inferior".

De outro ponto de vista, Gambini (*apud* Byington, 2013) esclarece que, originalmente, a criança brasileira tinha pai português e mãe indígena. Do pai não obtinha o reconhecimento da paternidade nem a plena admissão à sua cultura. Da mãe recebia o acolhimento, mas, como criança mestiça, também não tinha legitimidade para ser inserida integralmente na cultura indígena. Assim restou-lhe o aniquilamento de sua cultura e aos negros, o aviltamento de sua identidade e o abandono social.

**Extinção da cultura indígena e o abandono social do negro**
Os primórdios de nossa história como povo são forjados pelo degredo e pela solidão, e as relações trazem os sinais da exploração, do banimento e da humilhação. Tudo isso concomitantemente à utilização econômica predatória da terra e do patrimônio brasileiros.

Por outro lado, é importante lembrar que os portugueses já vieram para o Brasil mestiçados e, provavelmente, também com o seu "complexo" próprio, pois, como se sabe, não eram reconhecidos como uma identidade europeia genuína. A história nos ensina que a Península Ibérica foi palco de fortes ciclos imigratórios, e primordialmente o solo português já havia sido ocupado por celtas, romanos, mouros e judeus, fato que caracteriza, de pronto, a diversidade na formação e no convívio da população portuguesa.

Contrariando os estudos que dão conta da crueldade dos portugueses no processo de colonização, Gomes (*apud* Souza, 2007) relata que a cordialidade lusitana e a plasticidade da colonização por Portugal geraram, no Brasil, uma cultura ambivalente, permitindo a mistura com as demais raças, negra e índia.

Reconhecidamente, as questões do preconceito racial são atravessadas por uma necessária discussão de discriminação de gênero: historiadores apontam que, no Brasil colônia, a proporção de homens para mulheres era de cinco para uma, sendo estas predominantemente índias ou negras. Em um estudo genético sobre a miscigenação em brasileiros autodeclarados brancos, foi constatado que a esmagadora maioria das linhagens paternas da população branca do país veio da Europa e que, dessa população, 60% das linhagens maternas são ameríndias ou africanas (Pena *et al.*, 2000).

Presume-se, por essas razões, que a miscigenação não é resultado de relações sexuais permitidas ou consentidas, mas, daquelas permeadas pelo abuso – em síntese, estupros. Muitas dessas mulheres, vítimas de violência e impossibilitadas de retornar aos seus clãs, vagavam pelas vilas como prostitutas.

Gambini (1999) ressalta que os nossos grandes dramas familiares foram o silenciamento e a negação do valor da mãe e a existência de um pai ausente e patológico. Além disso, antes da Lei do Ventre Livre (1871), as crianças negras eram negociadas ainda no útero, pois não passavam de unidades mercantis, sendo a única função da mãe negra a de ama de leite – *não da sua cria, mas das crianças brancas*. O homem negro, nesse contexto, era mercadoria e devia, entre outras atribuições, procriar (Nogueira, 2008).

A historicidade contribui para o reconhecimento de nossa identidade, na medida em que apresenta elementos para a compreensão da cultura e da realidade. Dessa maneira, muitos dos elementos da nossa história que podem justificar a negação de nossa identidade híbrida são identificados com dor, ódio e abandono. Mas, diante dos fatos, como teria sido constituída a ideia do mestiço brasileiro? Entender esse *constructo* é mister para este estudo.

## Miscigenação *versus* mestiçagem

No citado *Dicionário Priberam de Língua Portuguesa*, as palavras "miscigenação" e "mestiçagem" aparecem como sinônimos: "cruzamento de raças ou de etnias distintas". Já o verbete "miscigenar" avança um pouco mais ao acrescentar a definição "cruzamento que produz mestiço".

Byington (2013) identifica, com algumas características em comum, quatro identidades nas Américas, forjadas tanto pelo genocídio indígena quanto pela escravidão. Seriam elas a identidade argentina-uruguaia--chilena, a identidade norte-americana, a identidade boliviana-peruana--equatoriana-colombiana-venezuelana e a identidade brasileira, com exacerbado genocídio indígena e significativa miscigenação. Segundo o autor, além disso, a formação dessa identidade brasileira se deu, sobretudo, pela forma como o país lidou com o fim da mão de obra escrava.

Conforme Byington, o fim da escravatura no Brasil foi uma imposição do governo vigente à época, sem que houvesse nenhum tipo de ressarcimento aos negros. A liberdade da senzala condenou essa parcela significativa da população nacional à miséria e aos empregos degradantes, deixando-a à margem da sociedade e, não raramente, aproximando-a da criminalidade. Em suma, um assalto às condições de sobrevivência do povo negro. "Essa foi a maior demonstração de racismo e desamor da sociedade brasileira, com a qual convivemos até hoje" (Byington, 2013, p. 74).

## Democracia e ideologia racial

Aliada ao fator econômico, a proclamação da República em 1889 impôs ainda a discussão das condições de inclusão dos cidadãos à nação que se formava. No entanto, motivada pela elite dominante da época, contrária à incorporação ou à participação dos negros na sociedade brasileira, as teorias raciais foram usadas como justificativa para a suposta inferioridade da herança negra.

As ideias racistas foram fortemente influenciadas pelos trabalhos sobre eugenia do conde francês Arthur de Gobineau, que em 1855 escreveu um *Ensaio sobre a desigualdade das raças humanas*, no qual conjecturava que a presença de raças inferiores, as quais davam origem a mestiços e pardos "degenerados" e "estéreis", já teria selado a sorte do Brasil, predestinado, assim, ao desaparecimento.

A solução proposta na época seria importar a raça branca da Europa a fim de diluir o sangue negro do brasileiro e fazer de nós um país branco, onde a miscigenação resolvesse o problema racial. Segundo Munanga (1999), a mobilização dos intelectuais girava em torno da questão de como transformar a pluralidade de raças em um único tipo étnico.

Entre as teorias mais contundentes, encontramos diversos autores que reforçam o que expusemos: Silvio Romero, para quem a mestiçagem é um processo transitório, que tende a dar lugar à raça mais numerosa, isto é, a branca; Nina Rodrigues, que propõe a criação de dois códigos penais, um para brancos e outro para não brancos; Euclides da Cunha, que acreditava que o mestiço era quase sempre um desequilibrado, um decaído, sem a energia física dos ascendentes negros "selvagens" nem a atitude intelectual dos ancestrais brancos "superiores", afirmando, ainda, que o servilismo é um traço genético; Oracy Nogueira, que concebeu o conceito de racismo de "marca", para distinguir o Brasil dos Estados Unidos, onde há uma linha que separa brancos de não brancos (Munanga, 1999).

Monteiro Lobato (1959) também expressou sua opinião a respeito do tema, afirmando, no que tange à filiação brasileira, ser esse não branco:

> [...] filho de pais inferiores – destituídos desses caracteres fortíssimos que imprimem – um cunho inconfundível em certos indivíduos, como acontece com o alemão, com o inglês, cresceu tristemente – dando como resultado um tipo imprestável, incapaz de continuar a se desenvolver sem o concurso vivificador do sangue de alguma raça original.

Em outra direção, Freyre (2003) atribui a formação da nação brasileira à existência das monoculturas e tira o foco das controvérsias de raça. O autor foi um ferrenho defensor da democracia racial, atribuindo valor positivo à mestiçagem; no entanto, para este trabalho, é importante registrar a contribuição de Da Matta (1984, p. 31-32), que se contrapõe ao mito da democracia racial e denuncia a desigualdade e a perversidade de nosso legado.

Já Buarque de Holanda (1995, p. 146) descreve a figura do "homem cordial" e afirma "que a miscigenação das raças é o substrato orgânico da afetividade, que tão bem o caracteriza". Ribeiro (1995, p. 453), após discorrer sobre os vários "Brasis", apresenta uma definição de quem é o brasileiro, que ainda luta para conquistar uma identidade: "Um povo, até hoje, em ser, na dura busca de seu destino. Olhando-os, ouvindo-os, é fácil perceber que são, de fato, uma nova romanidade, uma romanidade tardia, mas melhor, porque lavada em sangue índio e sangue negro".

Diante do exposto, é possível reconhecer pensamentos e defesas distintos sobre a ideia de uma sociedade plurirracial e pluriétnica. Percebe-se, claramente, a utilização da imagem do mestiço de formas variadas e de acordo com interesses, não raras vezes, políticos, econômicos e ideológicos, que resultam, de maneira maliciosa, num ocultamento do racismo.

Concordo com Munanga (1999, p. 80) quando ele afirma que o mito da democracia racial serviu para as "elites dominantes dissimularem as desigualdades e impedindo os membros das comunidades não brancas de terem consciência dos sutis mecanismos de exclusão dos quais são vítimas na sociedade".

De forma contundente, é possível afirmar que as ideias eugenistas tiveram papel importante na construção do sentimento de inferioridade e ocultaram a discriminação e o preconceito praticados no país quando impuseram um padrão único, ainda que com um discurso facetado de democracia racial.

Por outro lado, se eu me defino unicamente com uma origem – por exemplo, afrodescendente – autorizo-me a negar minhas outras origens, sejam elas lusitanas, italianas ou germânicas. Como, então, apaziguar essas tantas vozes e superar a inferioridade?

**PERSPECTIVA PSICODRAMÁTICA DO "COMPLEXO DE VIRA-LATA"**

A filosofia moreniana simplesmente declara que "todos os seres humanos são infinitamente criativos e que nova ordem poderia, de acordo com isso, ser estabelecida no universo" (Marineau, 1992, p. 118). Nessa visão, o homem é o autor de suas histórias, tanto no âmbito pessoal quanto no social, e o seu desenvolvimento se dá em função da interação constante com o outro.

Moreno (1983, p. 136) concebe o psicodrama como a exploração da verdade por meios dramáticos – isto é, um método de ação profunda – e afirma que "[...] o psicodrama aproxima-se da própria vida. Quanto mais uma psicoterapia se aproxima da vida, maior será o sucesso terapêutico".

Em sua utopia, "idealizou que o mundo necessitava de uma terapia mundial" (p. 10) e, desde os primórdios de sua produção, atentou para as questões sociais e das minorias: "Não há nenhuma raça em minha alma [...]" (1992, p. 51). "Por que vós, que sois das pequenas raças, ficais trêmulos com o barulho das grandes raças? Lembrai-vos. Eu sou de uma raça que só tem um membro, somente Eu" (1992, p. 119).

Concordo com o autor sobre a necessidade de uma terapia mundial e acrescento que seu desejo está em descerrarmos os olhos para a desumanidade de classificar os seres humanos em raças e, como se isso já não fosse paradoxal o bastante, ainda emitirmos julgamentos e os inferiorizarmos com base num padrão branco europeu. Como posso julgar alguém pela aparência da cor?

Na "Oração do negro", Moreno (1992, p. 235-36) nos convida à reflexão a respeito das diferenças raciais: "Onde eu vivo é a terra das sombras. Desse canto da vida, eu vejo como as sombras olham as sombras. Mas suas tantas faces se voltam para Ti [...]. Tu vês daí alguma diferença entre o negro e o branco, ou são todas as faces parecidas a Ti?"

## Matriz de identidade: vergonha e humilhação

A partir do conceito de matriz de identidade, que, de acordo com Moreno (1975, p.114) é a "placenta social da criança, o lócus em que ela mergulha suas raízes", Bustos (1998, p. 94) afirma que "o termo lócus determina o lugar onde algo nasceu", ou seja, "a área ou local específico onde se dá um determinado processo". A matriz está relacionada, portanto, com o núcleo do processo, "óvulo fertilizado ou semente germinada" (*idem*), sendo o *status nascendi* a dimensão temporal desse processo, ou seja, o momento em que o nascimento de algo ocorreu e como se desenvolveu.

Fonseca (2010, p. 153) define a matriz de identidade como o "primeiro núcleo relacional da criança" e Nery (2010, p. 55) salienta que "ela é o lócus sociocultural em que a criança recebe e apreende os papéis sociais. Nesse sentido o bebê atua em papéis muito antes de saber quem ele é, pertence a grupos, tem identidades e vive em cultura". Cukier (1992, p. 101) diz: "*Lócus* – em relação a quem, a qual vínculo esta conduta reativa e defensiva se instala; sua *matriz* – para quê o paciente a produziu, ou seja, qual o mandato que o paciente delega a essa defesa; seu *status nascendi* – o processo de evolução dessa conduta".

Dessa forma, podemos dizer que o lócus do sentimento de inferioridade seria a relação em que se tenha dado a dominação, no caso, uma relação com o dominador, tanto no caso do negro como no do índio. O *status nascendi* seria a configuração das circunstâncias em que essa relação de dominação acontece. No caso brasileiro, evidencia-se que a nação traz duas profundas feridas: o genocídio dos índios e a escravização dos negros, seguida do abandono destes após sua abolição.

O desconhecimento coletivo de tais feridas, como dor emocional, mantém grande parte dessa dor sufocada, e a negação delas repete, ao longo das várias gerações, esse roteiro perverso. Portanto, a *matriz* se refere ao padrão de comportamento que surgiu nessa ocasião, como uma reação de defesa dos negros, dos índios e dos seus descendentes mestiços – no caso específico brasileiro, a negação e a ambuiguidade da dor e a construção do "complexo de vira-lata".

## Identificação, identidade de papel e estratégias de defesa
*Identificação com o padrão branco*
No registro "O problema negro-branco: um protocolo psicodramático", Moreno (1975, p. 442-43) descreve o processo de identificação, salientando a diferenciação entre a identificação subjetiva e a objetiva nos seguintes termos:

> Entendemos por identificação subjetiva a projeção de um sentimento individual, usualmente irreal, num outro indivíduo [...]. Na identificação objetiva, por outro lado, a experiência de uma imagem ou situação de uma outra pessoa é bastante exata. Uma das mais importantes formas de identificação objetiva é com os papéis representados por outros indivíduos.

As identificações subjetiva ou objetiva, no caso nacional, não são imagens nem outros indivíduos, mas uma projeção de sentimentos e de papéis representados conjuntamente na figura dos colonizadores brancos. Significa dizer que, diante da ideologia do padrão vigente, dependendo da situação, qualquer um pode ser colonizador: um professor, um chefe ou, ainda, um pai negro que, internamente, nega sua cor, ancorado em sua dor.

Nessa situação, a identificação subjetiva é realizada na negação e na ambiguidade, trazendo angústia e sofrimento emocional, à medida que um lado da identidade é anulado sistematicamente e que, quando acessado, resulta em sentimentos de humilhação e de inferioridade, fato que pode ser exemplificado por relatos próprios de pacientes: "Não me posiciono, quando eu estava na escola a professora sempre me chamava de 'aquele moreninho'"; "Tenho muita vergonha, acho que vão rir de mim por causa do meu cabelo, aí prefiro não pedir a palavra"; "Eu não quero ser negra, pois ser negra é muito triste!"; "Tenho vergonha de ser mestiço!"

Acredito que ainda hoje a ideologia eugenista paire no cotidiano das relações, sendo mobilizada em nosso coconsciente e coinconsciente grupais e dinamizada no *lócus* da formação de nossa de identidade. É como se ainda acreditássemos que ser mestiço seja um fator que tem como consequências inerentes a vergonha e a desonra.

## *Identidade de papel e dinâmica colonizador/colonizado*

Ainda sobre identidade e identificação, Moreno (1975, p. 442) concebe que a identidade "desenvolve-se [...] na criança pequena e atua em todas as relações intergrupais da sociedade adulta". Tal compreensão o leva a propor o conceito de *identidade de papel*, da seguinte maneira:

> Os coletivos simbólicos são inanimados, como autômatos. De fato, é paradoxal que – embora a noção de grupo seja uma falácia – o princípio de identidade de caráter dos membros exerça uma influência e um poder tão grande sobre a imaginação do homem. A essa identidade chamaremos identidade de papel. (*Ibidem*, p. 442-43)

Desde as primeiras lições de psicodrama, aprendemos que o eu emerge dos papéis e que a saúde mental vem da diversidade de papéis que são desenvolvidos, dos vínculos e das relações complementares vividas, bem como da capacidade de desempenharmos tais papéis com criatividade e espontaneidade. Entendo, portanto, que o conceito de identidade de papel se caracteriza pela conserva e pela rigidez na identificação.

Segundo Moreno, o *princípio de identidade de caráter* interfere no processo imagético dos indivíduos. Pois bem, em nosso objeto de estudo, a identificação dos mestiços é sectária com o padrão branco vigente, o que dificulta o reconhecimento de si mesmo de forma integrada, autêntica e espontânea.

Fonseca (2010), com base na identidade de papel de Moreno, explica a dinâmica relacional entre colonizador/colonizado, destacando: (a) a ausência de intencionalidade mútua no vínculo; e (b) a unilateralidade, o que faz que se permaneça com a estrutura vincular complementar. Acrescenta, ainda, que o papel de colonizador, a despeito de ser imposto, suscita o de colonizado, resultando naturalmente no fenômeno da colonização.

O autor nos convida a pensar nos efeitos, em longo prazo, da colonização: internalização ou incorporação do papel de colonizador; dupla identidade do colonizado; ambiguidade; confusão; desejo de ser igual ao colonizador. O colonizado deseja possuir, de maneira narcisista, as características do seu colonizador.

E alerta que, "levando-se em conta que os papéis de colonizador e de colonizado podem ser fundadores ou ancoradores de outros papéis sociais, pode-se imaginar como suas características marcam outras situações" (p. 210), tais como papéis profissionais e afetivos, assim como de pai e mãe, de amigos, de alunos, entre outros.

Reitero a fala de Mino Carta quando declara que "a casa-grande e a senzala ainda estão de pé dentro de nós"[3] e, apoiando-me em Fonseca, reafirmo que o conflito étnico-racial é vivenciado intrapsiquicamente, na coexistência interna do colonizador-colonizado.

Como vimos, a classificação de raça no Brasil é realizada pela aparência, ou seja, pelo fenótipo do indivíduo, e não pela raça propriamente dita. Logo, a vivência prevalente é a da ambiguidade, por uma

---

[3] Depoimento concedido ao documentário *O complexo de vira-latas* (ver nota 2).

sociedade racista e valorativa que tem essa ambiguidade como fonte de sofrimento psíquico.

A relação colonizado-colonizador coexiste em mim e, ciente de que os "papéis psicodramáticos ajudam a experimentar o que designamos por *psique*" (Moreno, 1975, p. 26), podemos imaginar um palco interno, em que as cenas se desenrolam em prol de aquietar a angústia e a negação. Havendo consenso entre essas duas partes, colonizado e colonizador dentro de mim, respondemos ao questionamento-chave: quem sou eu?

Mais uma vez, Fonseca (2010) é preciso ao afirmar que, ao se identificar como inferior, o colonizado sente vergonha e procura disfarçar a sua fragilidade, bem como o medo de ser descoberto, visto que incorpora o outro, tido como superior, sem reconstruir a si próprio, situação que, em consequência, resulta numa confusão de identidades. O autor ainda afirma: "Evoluímos e regredimos de acordo com as diferentes influências históricas, sucumbindo aqui e acolá a novas colonizações secundárias" (p. 212).

Portanto, a identidade de papel colonizado não nasce em nós, mas nos é imposta cultural e historicamente. Sentimo-nos desvalorizados e inferiorizados, sem assumirmos o protagonismo de nossa trajetória pessoal e o papel de sujeitos históricos de determinada sociedade.

Enquanto formos tratados como insignificantes – e enquanto permanecerem as situações de desvalorização –, continuaremos a nos ver como seres não merecedores de tudo que nos é de direito, tendo como resultado o desprezo nosso por nós mesmos e culminando na identificação, ainda acentuada, com o colonizador.

## *Estratégias de defesa*

Em face de sentimentos de vergonha e de humilhação, o psiquismo atua no sentido de minimizar os danos emocionais, organizando condutas de defesa que servirão como sistemas de proteção da individualidade diante da dor resultante do conflito psicológico. Cukier (1998, p. 35) assinala que a criança, no esforço de lidar com o abandono e com o desamparo, "[...] nega ou substitui suas próprias emoções, criando uma forma alternativa de ser que supõe ser mais valorizada pelas pessoas com quem convive e que não tenha aquelas características vergonhosas e defeituosas de antes".

Dessa forma, a criança nega a vergonha e o desamparo, soterra e esquece seu lado mais genuíno, tenta obter satisfação por outras vias e projeta essas partes reprimidas nos seus relacionamentos, aspectos que serão revividos em sua vida adulta. Substituindo a criança interna ferida pela nossa cota negra ou índia, as estratégias de defesa serão semelhantes, constituindo mecanismos que intervêm na psicodinâmica, num esforço de resguardar e proteger a psique da angústia e do arrebatamento da dor. Funciona, ainda, como um expediente de auxílio no processo adaptativo do indivíduo.

No viés da psicanálise, tais mecanismos de defesa, estudados profundamente por Anna Freud (2006) na fase infantil, serão averiguados no texto como *constructos* na psicodinâmica do complexo de vira-lata. Analisando os mecanismos de defesa, podemos citar, para os fins deste trabalho, e, brevemente, descrever que: (a) *repressão* significa que a pessoa aparta da consciência uma ideia, uma emoção ou um fato que podem causar nela ansiedade; (b) *projeção* refere-se a sentimentos e desejos idealizados ou reprovados que são colocados no outro; emoções, fatos, julgamentos morais não lembrados ou fantasiados constituem o mecanismo de (c) *negação*; (d) *racionalização* é quando a pessoa tende a explicar ou justificar, de forma lógica e racional, fatos ou eventos que provocam sofrimento em si; já (e) *formação reativa* refere-se a tornar socialmente aprováveis desejos pouco aceitáveis ou legítimos.

Dentre esses mecanismos, o de negação é de suma importância para este estudo e pode ser facilmente observado no complexo de vira-lata, em que negar a identidade híbrida protege o indivíduo do contato com a dor e com o sofrimento ocasionado pelo racismo. De tal modo, o que se procura é (i) apagar os sinais de origem africana; e (ii) alimentar sentimentos de inferioridade perante essa identidade: quanto menos traços relacionáveis com o fenótipo negro essa pessoa tiver, mais ela poderá se declarar branca.

Anna Freud (1986) descreve, também, o mecanismo de defesa chamado de (f) *identificação com o agressor*: nele, a pessoa humilhada assimila traços do ofensor ou opressor e, em vez de encarnar seu medo, começa a causar medo em outrem. Diz a autora que, "ao personificar o agressor, ao assumir seus atributos ou imitar sua agressão, a criança transforma-se de pessoa ameaçada na pessoa que ameaça" (p. 83).

Voltando na história, quando da construção do povo brasileiro, mais especificamente no período da escravização, já se percebe o mecanismo de defesa de identificação com o agressor na figura dos capitães do mato, cujas funções eram a de perseguir e a de capturar os ditos "negros fujões". Ao se tornar semelhante a quem o agredia e lhe causava medo, o agredido passa a ser o agressor e, nesse caso, tem o mesmo ódio pelos vitimados.

O complexo de vira-lata leva, ainda, algumas pessoas a assumir um comportamento de extrema autoexigência e autocrítica, como se, com essa atitude, o processo de branqueamento pudesse se dar de maneira internalizada. Denotam-se, ainda, dificuldades de posicionamento diante do outro e perante a vida. As relações estabelecidas muitas vezes têm um tom de vassalagem: vitimização, "puxa-saquismo", vergonha, subalternidade, como se pode perceber na fala de um paciente: "Prefiro ser esquecido a ser visto, pois vão achar que sou negro!"

De uma perspectiva antropológica, que me agrada particularmente, o tema das defesas é abordado contra a pluralidade racial e étnica. Percebe-se, claramente, a utilização da imagem do mestiço de formas variadas e de acordo com interesses particulares, os quais, não raras vezes, são políticos, econômicos ou ideológicos, decorrendo em ocultamento do racismo.

Nessa óptica, Munanga (1999, p. 108) argumenta em favor da ideia de uma cultura plural brasileira e não sincrética, quase que em forma de denúncia, pois considera que a tomada de consciência de ser brasileiro é influenciada pelo desejo de cada vez mais para passar à categoria branca?

Renunciar às origens não é a solução para a superação do complexo de inferioridade, visto que os mecanismos de defesa não trazem a cura, mas, ao contrário, podem produzir sequelas. Com esse entendimento, Todorov (2014, p. 131), que chama esses mecanismos de paliativos, assegura que, ao se tornarem práticas comuns, "podem levar a neuroses ou a psicoses e exigir, por sua vez, novas terapias".

## O sentimento de inferioridade, dramas coletivos e individuais

Fica evidenciado quanto repetimos, incessante e intrapsiquicamente, as cenas de submissão e de inferiorização; são episódios que nos levam às relações de servilismo, fazendo-nos sentir inferiores. Em relação a esse pensamento, Anne Ancelin-Schützenberger (2010) afirma que os pais colocam os filhos em situações de duplo vínculo inviável, ou seja, numa disposição concomitante de duas mensagens contraditórias que leva os filhos a situações de fracasso, por impor a aceitação do sentimento de trauma e das heranças de seus antepassados, fenômeno denominando neurose de classe.

De modo semelhante, Naffah Neto, no ensaio "O drama na família pequenoburguesa" (1980), aponta para a repetição de pautas de conduta intergeracionais, como se houvesse uma herança recebida ou um destino a ser cumprido passivamente, tal como: a solidão da minha avó determina a solidão da minha mãe, que por sua vez determina a minha solidão. Contudo, se é verdade que o reconhecimento do eu é realizado na relação com o outro, não podemos negar os contextos sociais e históricos em que se dão as relações, pois só assim podemos resgatar nossa crença como indivíduos, pertencentes a uma coletividade.

Nesse sentido, ainda segundo Naffah Neto (1979), os papéis sociais acabam por camuflar os dramas coletivos, por estarem cristalizados nas redes de relações entre sujeitos, repetindo a contradição e a reincidência entre os papéis históricos, os quais são consequências das relações econômicas e políticas que influenciam e gestam as formas de dominação. Ressalta, ainda, "que o conceito de papel social pressupõe o conceito de classe social e vice-versa" (p. 192). Significa, portanto, dizer que os contextos sociais e históricos são preponderantes na identificação objetiva das pessoas.

## MINHA ABORDAGEM DO COMPLEXO DE VIRA-LATA AMPARADA PELO PSICOSSOCIODRAMA

### O complexo de vira-lata no psicodrama bipessoal

Nos meus atendimentos em psicoterapia psicodramática individual bipessoal, são comuns a dramatização do psicodrama e o confronto entre o colonizador e o colonizado, pois isso pode levar o paciente ao reconhecimento de si como identidade singular. Porém, como avançar e fazer que ele tenha consciência de pertencimento a um grupo que pode ser plurirracial e também diverso?

Ao final de determinado atendimento, a protagonista sintetizou a multiplicidade de emoções no seguinte comentário: "Percebo agora que o Brasil e a Angola estão dentro de mim. Eu tenho duas nações e muitas cores. Sou muitas e sou uma só". Tal depoimento me faz confiar no psicodrama como ferramenta potente e eficaz no tratamento para superar o complexo de inferioridade, uma vez que oferece recursos teóricos e metodológicos que resgatam a visão do homem como agente e autor da própria história.

Para além do trabalho em psicoterapia psicodramática individual bipessoal, faz-se necessário, na minha forma de ver, um trabalho grupal como meio de reconhecimento e ressignificação do complexo em questão, visto que nos identificamos na relação com o outro, além do efeito espelho observado nos grupos: consigo ver no outro o que não consigo ver ou que nego em mim mesmo.

Schützenberger (*apud* Macicl, 2014, p. 95, tradução minha) concebe o genossociograma como método de investigação dos dramas coletivos e das lealdades invisíveis que ecoam nos problemas familiares por até sete gerações. Igualmente, Maciel (2014, p. 95, tradução minha) entende que o psicodrama transgeracional "possibilita às pessoas tanto o desapego de padrões disfuncionais herdados das gerações anteriores quanto o reconhecimento dos legados positivos". Já Boarini desenvolve o psicodrama interno transgeracional[4], no qual utiliza a imaginação ativa e o psicodrama para entender a transmissão transgeracional.

---

[4] Disponível em: <https://transgeracional.blogspot.com.br>. Acesso em: 7 jun. 2017.

## O complexo de vira-lata no psicossociodrama grupal

Quero mostrar, neste tópico, como me utilizo do psicodrama para trabalhar as questões envolvidas no complexo de vira-lata no âmbito grupal, respeitados as etapas, os contextos e os instrumentos da intervenção psicodramática.

*Aquecimento inespecífico*

De maneira geral, começo falando do meu interesse pelo tema, principalmente por reconhecer em minha história a origem mestiça. Em alguns grupos, leio a frase de Nelson Rodrigues ("O brasileiro parece sofrer de complexo de inferioridade") ou a "Oração ao Negro" (Moreno, 1992, p. 235-36). Nessa direção, Perazzo (2019) considera que os iniciadores servem de referência na descoberta dos caminhos dos papéis conservados que se apresentam no protagonista.

Em seguida, por meio de consignas verbais, solicito aos participantes que andem pela sala, alonguem-se, fechem os olhos por dez minutos, prestem atenção à respiração, estejam presentes no aqui e no agora e busquem uma sensação corporal. Busco, dessa maneira, fazer que, no aquecimento, ocorra primeiramente a concentração em si próprio (eu/eu) e, em seguida, ocorra o reconhecimento do eu no seu diferencial como pessoa (eu/tu), sendo a exteriorização cautelosamente estimulada. Esses momentos visam à introspecção dos participantes com foco no grupo.

Essa fase do trabalho psicodramático propicia a pesquisa do clima e da etapa na qual o grupo se encontra. Estamos, até agora, tateando a dor e tangenciando o conflito, visto que as pessoas, muitas vezes, já sentiram o incômodo das sensações de vergonha, de culpa e de submissão, mas pouco se aprofundaram na temática em si – em boa medida, pela falta de ressonâncias nos contextos sociais em que transitam.

Na continuidade, e a fim de identificar a pauta inserida na temática mais geral, proponho a utilização de músicas que falam da miscigenação no Brasil, tais como "Canto das três raças" (Clara Nunes), "Inclassificáveis" (Arnaldo Antunes) e "Etnia" (Chico Science), entre outras, para refletir sobre o tema. Esse passo estimula a criação de imagens e a troca de experiências entre os participantes, ressaltando identificações, semelhanças e diferenças, além de viabilizar a pesquisa sociométrica do grupo: formação de duplas, de trios ou de grupo aberto.

Nesse momento, estamos chegando mais perto das questões, na medida em que, havendo identificação, os participantes começam a nutrir uma sensação de pertencimento, sentem-se integrantes do conjunto no qual encontram seus "iguais" e, assim, constituem uma rede de apoio que dará sustentação à direção dramática.

O relato e as trocas em grupo aberto trazem, também, a proposta de investigação do nível de confiança e, em consequência, a disponibilidade do grupo para o surgimento tanto do protagonista quanto do conflito, em uma aproximação participativa (eu/nós).

*Aquecimento específico*
Definido o objetivo por meio das histórias, relatos ou vivências expostas, passamos ao contexto dramático, visando: (i) à exploração do conflito colonizador-colonizado, (ii) à angústia (além de quanto possa estar presente) e, por conseguinte, (iii) à facilitação da representação da dor, além de (iv) ao aprofundamento das várias parcelas de si apartadas ou negadas pelo indivíduo em análise.

No aquecimento específico, no caso de enfoque com tema protagônico, concebo a estimulação de imagens e cenas com pinturas, de forma que as pessoas possam caminhar e escolher as imagens que lhes provocam ressonâncias. Concomitantemente, sugiro a todos que busquem lembranças de cenas atuais ou da infância em que tenham acontecido comentários a respeito da imagem relacionada com a cor de pele ou com a raça. Instigo-as a se lembrar de afirmações relacionadas à própria aparência ou à de algum familiar, em que ser de determinada cor ou raça era melhor ou mais vantajoso em relação às outras.

Peço que falem alto para que todos ouçam as emoções suscitadas e os sentimentos associados a essas lembranças: humilhação, vergonha, desqualificação, inferiorização. Baseada nas emoções suscitadas, solicito às pessoas que se reúnam em subgrupos, para que se possa realizar a montagem de cena que contenha alguma dessas emoções a cada agrupamento. Por fim, o grupo completo elege uma cena para que seja aprofundado o resgate do sentimento trabalhado, isto é, escolhe-se uma das cenas para ser dramatizada.

No aquecimento do protagonista, utilizo a técnica de entrevista, a qual, segundo Cukier (1992, p. 27), "me permite mobilidade para ir e vir, entre a fantasia do paciente e a realidade da sessão", auxiliando-o na evocação de emoções, na caracterização de personagens e dos ambientes e na tomada de papéis, além de contribuir para o meu aquecimento e a minha espontaneidade, pois "a melhor forma de conseguir esse estado é mergulhar na cena em que nos é trazida por meio de uma entrevista" (*ibidem*, p. 167).

*Dramatização*

O manejo do conflito é, no contexto dramático, espaço no qual podemos oferecer configuração e consciência ao sofrimento emocional, a fim de abordá-lo nos níveis ideativos e no âmago das sensações físicas e emocionais. Tem por objetivo a revelação da formação defensiva, seja ela angústia, negação ou ambiguidade.

Para tanto, começo com a montagem de cenas atuais (em que o sentimento de inferioridade esteja presente): peço que o protagonista escolha, dentre as pessoas presentes no grupo, aquelas que irão jogar os contrapapéis. Em seguida, utilizando a inversão de papéis, estimulo a interação das personagens.

A pesquisa dessas cenas atuais pode levar a um percurso transferencial, ligando-as à cena nuclear, na qual se explicitam o lócus, o *status nascendi* e a matriz da resposta defensiva (Cukier, 2007). Utilizo-me de todas as técnicas psicodramáticas que possam ajudar o protagonista: imagens, dramatização real, simbólica e esculturas, além das técnicas clássicas de duplo, espelho, inversão de papéis, entrevista e concretização.

Vejamos uma das cenas propostas:

**Cena 1**: Sou filha de mãe branca muito bonita e meu pai é mais mulato. Quando eu tinha uns 7 anos, cortaram meu cabelo bem curtinho, fiquei parecendo um menino, porque esse cabelo era muito "ruim". A família da minha mãe falava: "Pena que ela não parece com você, mas é boazinha". Hoje, me esforço para ser a melhor em tudo, sou muito exigente comigo.

No presente relato, a família da mãe foi trazida ao palco psicodramático e a protagonista pôde, com o auxílio dos egos-auxiliares, reviver a cena com a carga emocional de raiva e tristeza que fora negada e esquecida. A matriz da defesa, nesse caso, é "a boazinha de cabelo ruim". Cria-se uma necessidade de ser boazinha e perfeita a fim de lidar com a vergonha e se defender da dor, sem perceber a artimanha intrapsíquica.

É nesse movimento que a protagonista vivencia a abertura de novo espaço interno, o que chamamos de *negociar com a defesa* e *modificá-la*, porque, agora, ela a prejudica e a enfraquece. Isso levanta a possibilidade de superação de sentimentos de vergonha, de humilhação e, de alguma maneira, pode tornar coconscientes as questões coinconscientes de inferioridade e de discriminação étnica internalizadas.

No enquadre psicodramático, estimulamos a expressão do drama interno, pois é no espaço de acolhimento grupal e no palco que ocorre a catarse emocional de cenas cristalizadas. Ao trazer o conflito para o palco psicodramático, seguido das cenas de reparação, incentivamos o desenvolvimento da aceitação de si por meio do reconhecimento de sua origem, acatando que essa origem possa, de fato, ser multifacetada. Ao empreender o embate colonizado-colonizador, propiciamos aos pacientes o direito de questionar e de responder à pergunta já levantada anteriormente: "Quem sou eu?"

> **Cena 2**: Quando eu era pequena, minha babá falava para mim que eu tinha cabelo de "bucha" e "cara de nega", que eu era muito feia e nunca seria nada. Atualmente, acredito que minhas dificuldades afetivas estão relacionadas com isso. Claro, os rapazes irão olhar para as moças loiras e de olhos azuis.

Fica evidente a criação da "feia desprezível" (matriz) por identificação com o agressor: a personagem aceitou o que a babá disse a ela, e percebe-se com nitidez quanto essa personagem atrapalha sua vida adulta. Foi proposto que seu eu adulto se encontrasse com sua criança na cena descrita, que assegurasse a ela que ninguém mais a machucaria e que agora ela a protegeria, a amaria e a ouviria em suas necessidades.

No contexto dramático, a protagonista pôde reviver, com intensidade, as dores geradas pela humilhação e pela vergonha. Depois da catarse emocional, ela conseguiu confrontar a babá e enfrentar seus sentimentos de inferioridade, transformando-os em potência e espontaneidade. Tal mudança ocorreu na medida em que devolveu a ela o que é dela e a faz formar uma opinião nova sobre beleza, amparada pelo grupo, que lhe deu força. Ao final da proposta, a protagonista exclamou: "Nossa, me sinto diferente, parece um descarrego!"

## Compartilhamento

Apreendo, ao final, que o compartilhamento de histórias é incentivo para que os pacientes possam olhar para seus aspectos ambíguos, a fim de provocar uma nova resposta, que seja criativa e contribua para o reconhecimento de sua singularidade como pessoa: "Não me sinto só, agora sei que outras pessoas sentiram e sentem a mesma coisa que eu!"; "Entendo neste momento que não quero viver nenhuma ditadura, seja a do cabelo liso, do cabelo crespo, do cabelo ruim... Eu sou quem eu sou!"; "Reconheço que sou resultado de vários Brasis e quero honrar todos eles!"

### CONSIDERAÇÕES FINAIS

Em relação a essa temática, procuro, como diretora de psicodrama, estimular uma narrativa diversa, que modifique a repetição da herança recebida, liberte as algemas culturais e favoreça o fim das doutrinas paralisantes.

Sinto-me provocada por Moreno, sobretudo na busca da ousadia que possibilite avançar contra o *status quo* e na conquista de uma atuação que contemple a quebra de paradigmas. "Essa guerra contra os fantasmas exige ação, não só da parte de indivíduos isolados e de pequenos grupos, mas também das grandes massas humanas. Essa guerra – dentro de nós próprios – *é a Revolução Criadora"* (Moreno, 1975, p. 96).

A ousadia é essencial para trazer à tona a verdadeira história da formação do povo brasileiro e, assim, ter a noção exata dos conceitos e das tradições, sem se esquecer de que, na maioria das vezes, eles são resultantes das condições sociais.

A tese apresentada no presente capítulo é corroborada por Naffah Neto (1979, p. 237), que afirma que a *psique* se torna *socius* e, nessa perspectiva, evidencia que "existem conflitos interculturais, nos quais um indivíduo se vê perseguido, não pelo fato de ser ele próprio, mas pelo grupo ao qual pertence".

A nação sempre se idealizou branca, com pouco reconhecimento de si e do outro. Projeta, tal como um espelho invertido, uma imagem idealizada e permanece, em muitos aspectos, presa à ideologia da supremacia branca, inferiorizando os que não se enquadram nesse retrato.

O "complexo de vira-lata" é, portanto, uma realidade que está há muito tempo enraizada no imaginário nacional e dificulta a redenção dos brasileiros quando protagonistas da história. Ao mesmo tempo que a diversidade está incluída na ideia de democracia racial, o mestiço não consegue se autoproclamar como identidade, em boa parte pela ideologia eugenista de branqueamento sofrida pela nação.

Não me furto ao fato de acreditar no racismo e reconheço sua presença no micro e no macro das relações humanas, ao negar as heranças e ocultar os vestígios dos sinais da negritude. Por outro lado, reafirmo a valorização do mestiço dentro de um contexto que olhe para a pluralidade racial, valorizando sua compleição e sua força criativa.

Se o negro sobreviveu ao flagelo sofrido com a escravização, às adversidades que se lhe impuseram e aos reveses encontrados no processo da abolição, como podem ser aceitáveis a imposição ou a aceitação de um complexo de inferioridade? Mas, em contrapartida, não posso renegar a parcela de outras raças que gestaram a miscigenação do povo brasileiro. Para isso, é preciso estar para além do colonizador ou do colonizado, apaziguando primeiramente a *psique*, a fim de, dinamicamente, tecer um ativismo social, pois o micro evidencia o macro.

Concordo com o psicólogo José Moura Gonçalves Filho[5] quando diz que a psicologia individual não se presta à compreensão de fenômenos que são eminentemente sociais. Como dar conta da dor de alguém que sofre da doença do racismo sem superar interpretações limitantes nem trazer à tona a dimensão social para o processo de cura?

Discutindo a miscigenação, é preciso analisar as ideologias que fizeram crer no negro como uma raça inferior, não para reafirmá-las, mas, antes, para romper com o estado das coisas, avançar no respeito à pluralidade e contemplar sem defesas o complexo de vira-lata.

Confio no psicodrama como um importante instrumento de conscientização individual e grupal que permite a quebra de paradigmas e a rejeição do que é imposto. Acredito, ainda, no psicossociodrama grupal como possibilidade de superações, a partir do momento em que novos conceitos e novas compreensões adentram o espaço individual dos participantes.

Dessa maneira, o tema da miscigenação acrescentou ao meu fazer clínico a possibilidade de transformação do complexo de vira-lata em potência de superação da baixa autoestima e do lugar social em que o mestiço foi colocado. Nessa direção, sugiro fortemente, como tantos outros autores já o fizeram, que essa temática esteja nos currículos dos cursos de Psicologia das faculdades brasileiras e, além disso, que se ressalte a importância das culturas negra e indígena na formação da nossa sociedade, ressignificando o brasileiro como *constructo* da miscigenação.

A educação mobiliza a cultura, e acho essencial garantir o direito de acesso às informações para permitir a liberdade de escolhas. A informação, por meio de uma formação eficiente, é o nervo vital da liberdade, e a resistência é a força motriz do ser humano.

No papel de educadora e psicodramatista didata supervisora, entendo a importância do conhecimento da estrutura conceitual e histórica na qual estou inserida e enfatizo a responsabilidade de incluir essa temática nas discussões em sala de aula e em grupos de estudos, de

---

[5] No curso "Racismo e humilhação racial", proferido no dia 8 out. 2016, no Instituto Amma Psique e Negritude (SP).

orientação e de supervisão, a fim de que se possa ampliar a visão e o desenvolvimento de novos profissionais.

Ao virar a lata, em analogia ao cachorro em busca de restos, sobrevivemos às adversidades, e isso precisa ser dito. A história deve ser contada pela nossa óptica, a dos sobreviventes. É preciso fazer nos verem e crerem na nossa importância e na nossa garra, que não permitiu a nossa extinção e, mais do que isso, fez de nós guerreiros Zumbi dos Palmares e aguerridas Dandaras.

Os muros do isolamento e do silêncio devem ser derrubados, enquanto o desejo de pertencimento a diversas tribos deve ser incrementado. A substância nossa é – e sempre foi, a bem da verdade – a diversidade, fato que levou a miscigenação a nos engendrar criativos por sobrevivência, espontâneos na essência.

**REFERÊNCIAS**

BRAGA, Jorge Luiz Oliveira. "Vira-latas! Complexo e cultura no país do futebol". In: *Anais do XXII Congresso da Associação Junguiana do Brasil*, Búzios, 2014.

BUSTOS, Dalmiro Manoel. "*Locus*, matriz, *status nascendi* e o conceito de grupamentos. Asas e raízes". In: HOLMES, Paul; KARP, Marcia; WATSON, Michael (orgs.). *O psicodrama após Moreno: inovações na teoria e na prática*. São Paulo: Ágora, 1998.

BYINGTON, Carlos A. B. "A identidade brasileira e o complexo de vira-lata: uma interpretação da psicologia simbólica junguiana". *Revista da Sociedade Brasileira de Psicologia Analítica*, São Paulo, n. 31, 2013.

CUKIER, Rosa. *Psicodrama bipessoal: sua técnica, seu terapeuta e seu paciente*. São Paulo: Ágora, 1992.

_____. *Sobrevivência emocional: as dores da infância revividas no drama adulto*. São Paulo: Ágora, 1998.

_____. "O psicodrama da humanidade. Utopia, será?" *Revista Brasileira de Psicodrama*, v. 8, n. 1, 2000, p. 69-82.

_____. "Para uma dramatização bem-sucedida". In: VASCONCELLOS, Marina da Costa Manso (org.). *Quando a psicoterapia trava: como superar dificuldades*. São Paulo: Ágora, 2007.

DA MATTA, Roberto. *O que faz o brasil, Brasil?* Rio de Janeiro: Rocco, 1984.

FONSECA, José. *Psicoterapia da relação: elementos de psicodrama contemporâneo*. São Paulo: Ágora, 2010.

FREUD, Anna. *O ego e os mecanismos de defesa*. Porto Alegre: Artmed, 2006.

FREYRE, Gilberto. *Casa-grande e senzala: formação da família brasileira sob o regime da economia patriarcal*. 48. ed. Recife: Global, 2003.

GAMBINI, Roberto. "O que é o Brasil?" *IstoÉ*, n. 1.578, 29 dez. 1999.

HOLANDA, Sérgio Buarque de. *Raízes do Brasil*. 26. ed. São Paulo: Companhia das Letras, 1995.

LOBATO, Monteiro. "A todo transe". In: *Literatura de Minarete*. São Paulo: Brasiliense, 1959.

MACIEL, Manuela. "El uso del psicodrama en la psicoterapia transgeneracional". *Revista Brasileira de Psicodrama*, v. 22, n. 1, 2014, p. 92-99. Disponível em: <http://pepsic.bvsalud.org/pdf/psicodrama/v22n1/n1a10.pdf>. Acesso em: 17 out. 2016.

MALAQUIAS, Maria Célia. *Revisitando a africanidade brasileira: do Teatro Experimental do Negro de Abdias do Nascimento ao "Protocolo problema negro-branco", de Moreno*. Monografia. São Paulo: Sociedade de Psicodrama de São Paulo, 2004.

_____. "Teoria dos grupos e sociatria". In: NERY, Maria da Penha; CONCEIÇÃO, Maria Inês G. (orgs.). *Intervenções grupais: o psicodrama e seus métodos*. São Paulo: Ágora, 2012.

_____; Nonoya, Denise S.; CESARINO, Antônio Carlos M.; NERY, Maria da Penha. "Psicodrama e relações raciais". *Revista Brasileira de Psicodrama*, v. 24, n. 2, dez. 2016, p. 91-100.

MARINEAU, René F. *Jacob Levy Moreno, 1889-1974. Pai do psicodrama, da sociometria e da psicoterapia de grupo*. São Paulo: Ágora, 1992.

MARIOTTI, Humberto. *O complexo de inferioridade do brasileiro. Fantasias fatos e o papel da educação*. 2006, rev. atual. 2009. Disponível em: <http://pavoniking.hospedagemdesites.ws/imagens/trabalhosfoto/382006_inferioridade.pdf>. Acesso em: 4 maio 2016.

MORENO, Jacob L. *Psicodrama*. São Paulo: Cultrix, 1975.

_____. *Fundamentos do psicodrama*. São Paulo: Summus, 1983.

_____. *As palavras do pai*. Campinas: Psy, 1992.

_____. *Psicoterapia de grupo e psicodrama: introdução à teoria e à prática*. Campinas: Psy, 1993.

MUNANGA, Kabengele. *Rediscutindo a mestiçagem no Brasil: identidade nacional versus identidade negra*. Petrópolis: Vozes, 1999.

NAFFAH NETTO, Alfredo. *Psicodrama, descolonizando o imaginário: um ensaio sobre J. L. Moreno*. São Paulo: Brasiliense, 1979.

_____. *Psicodramatizar*. São Paulo: Ágora, 1980.

NERY, Maria da Penha. *Grupos e intervenção em conflitos*. São Paulo: Ágora, 2010.

NOGUEIRA, Isildinha Baptista. "Ninguém foge da própria história". In: Instituto Amma Psique e Negritude (org.). *Psique e negritude: os efeitos psicossociais do racismo*. São Paulo: Imprensa Oficial/Instituto Amma Psique e Negritude, 2008.

PENA, Sergio Danilo *et al*. "Retrato molecular do Brasil". *Ciência Hoje*, v. 27, n. 159, abr. 2000.

PERAZZO, Sérgio. *Descansem em paz os nossos mortos dentro de mim*. São Paulo: Ágora, 2019.

RIBEIRO, Darcy. *O povo brasileiro: a formação e o sentido do Brasil*. São Paulo: Companhia das Letras, 1995.

SCHÜTZENBERGER, Anne Ancelin. "Saúde e morte: vínculos ocultos na árvore da família". In: KELLERMANN, Paul Felix; HUDGINS, M. K. (orgs.). *Psicodrama do trauma: o sofrimento em cena*. São Paulo: Ágora, 2010.

SOUZA, Ricardo Luiz de. "As raízes e o futuro do 'homem cordial' segundo Sérgio Buarque de Holanda". *Caderno CRH*. Salvador, v. 20, n. 50, maio-ago. 2007, p. 343-53.

TODOROV, Tzvetan. *A vida em comum: ensaio de antropologia geral*. São Paulo: Ed. da Unesp, 2014.

# 8. Racismo existe? Um encontro com o psicodrama por meio do jornal vivo

*Lúcio Guilherme Ferracini*

**O PSICODRAMA E O NEGRO**

Vinte de novembro de 2017, feriado da Consciência Negra. Nas redes sociais, notam-se muitas manifestações de valorização dessa data que traduz uma história de luta e de sofrimento, mas também outras tantas que expressam desqualificação do evento: para que um dia da Consciência Negra?

Na avenida Paulista, diante do Masp, o ator e cantor Seu Jorge, no alto de um caminhão de som, relembra um capítulo que chama de "517 anos de racismo deste país". Ele acompanha e é acompanhado por vários movimentos negros e militantes, como Educafro e Mulheres Pretas, seguidos de cores, faixas, instrumentos de percussão e palavras de ordem. São Paulo faz jus à fama, e tudo ocorre sob uma tenra garoa, diante do vão livre do museu, com a presença de centenas de pessoas. Palco de tantas cenas, como afirmam Cepeda e Martin (2010) ao relatarem a cerimônia de diplomação dos primeiros psicodramatistas brasileiros no V Congresso Internacional de Psicodrama em 1970, plena ditadura militar, dando início ao psicodrama brasileiro.

Em meio à multidão, surge um homem de terno, gravata-borboleta e chapéu, abre os braços, sorri e diz: "Desta vez eu vim!" Retira do bolso um papel e entrega-me. Atônito, abro e leio:

> Um encontro entre dois:
> olho no olho, cara a cara.
> E quando estiveres próximo,
> tomarei teus olhos e os colocareis no lugar dos meus,
> e tu tomarás meus olhos e os colocarás no lugar dos teus,

então, eu te olharei com teus olhos
e tu me olharás com os meus.
Assim nosso silêncio se serve até das coisas mais comuns
e o nosso encontro é meta livre:
o lugar indeterminado, em um momento indefinido,
a palavra ilimitada para o homem não cerceado.
Ass.: Jacob Levy Moreno, pai do psicodrama

Este era um significado para aquele momento: a necessidade de nos olharmos olhos nos olhos, bem como trocarmos nossos olhos para enxergamos o outro em sua história, assim como em seus valores, sentidos, desejos e necessidades; sem impor a nossa forma de viver. Quando olho a minha frente, não o vejo mais, ele não estava mais ali. Talvez estivesse entre todos, na relação entre negros e brancos.

As relações étnicas são um tema presente no desenvolvimento do psicodrama. Como afirma Moreno (2008, p. 85), o ser humano se caracteriza pelas relações que estabelece por meio dos papéis que desempenha, como "entre autor e leitor, entre pregador e fiel, entre marido e mulher". Complementando esse pensamento com as ideias de Bustos (1978), o homem sem vínculos não existe. Moreno, que refundou a própria data de nascimento no ano de 1892, fazendo referência aos 400 anos do êxodo dos judeus da Espanha, e viveu as duas grandes guerras, conhecia de perto os efeitos da desumanidade de um grupo sobre outro (Marineau, 1992). A abordagem das relações inter-raciais estava presente em suas reflexões e em seus trabalhos.

Na década de 1920, escreveu a "Oração do negro" (Moreno, 1992, p. 236), revelando esperança, desamparo e questionamento: "[...] Tu vês daí alguma diferença entre o negro e o branco, ou são todas as faces parecidas a Ti?" Em pesquisas com estudantes nos anos 1930, nos Estados Unidos, concluiu que "as crianças nas séries escolares iniciais não apresentam espontaneamente atitudes discriminatórias em função da raça e nacionalidades, ocorrendo em determinadas ocasiões como resultado do exemplo aprendido com os adultos". Identificou que a partir dos 11 anos era maior a frequência de conflitos entre grupos raciais e de nacionalidades diferentes (Moreno, 1994; 2008). Acrescenta ainda que os resultados desses estudos de caráter sociométrico, no que se refere às questões raciais, surgiram espontaneamente nas respostas dos participantes:

> Nunca perguntamos "Você gosta de negros?" ou "Você gosta deste moreno ou daquela italiana?" Nenhuma pergunta desse tipo entrou nem precisa entrar no teste sociométrico. Todas as expressões indicando sentimentos raciais foram fornecidas, espontaneamente, pelas crianças; não houve a mínima provocação por parte de quem administrou o teste. O único critério da entrevista foi: por que você quer se sentar perto dos colegas que escolheu? (Moreno, 1994, p. 84)

Jonathan Moreno (2016) aponta que o trabalho de seu pai, nesse período, estava vinculado a problemas sociais da época ligados ao movimento dos direitos civis e raciais, como a "Grande Migração" (1910--1930) de negros que deixavam o Sul do país. Para o autor, "J. L. [Moreno] e sua equipe estiveram entre os primeiros cientistas sociais a se sensibilizarem pela questão racial e, para tentar encontrar um meio de amenizar as repulsas com a base na raça em Hudson" (p. 141).

Em 1932, no âmbito dos estudos a respeito das relações interpessoais, Moreno desenvolveu pesquisas na Escola de Educação de Moças em Nova York. Essa comunidade era formada por 437 pessoas, divididas em 16 casas; baseando-se em critérios e gráficos sociométricos, os pesquisadores realizaram análises sobre as melhores formas de convivência e trabalho. Moreno (2008, p. 191) destaca as dificuldades de relacionamento na casa (alojamento) 12-A12, um dos espaços mais numerosos e com maior índice de rejeição entre as moradoras:

> O interessante é que esse alojamento é uma das duas casas de negros dentro da comunidade institucional, cuja maioria é branca. As garotas dirigem a maioria de suas atrações e rejeições a garotas da mesma raça, de modo que se produza amor e ódio em excesso, dentro de um espaço social restrito.

Em outro momento, identifica no grupo, durante uma atividade laboral, um conflito entre as trabalhadoras e a supervisora branca. Propõe como forma de intervenção a realização de um sociodrama visando resgatar "o amor à própria raça" (p. 191).

Ainda na década de 1940, Moreno realizou uma "sessão aberta" durante uma oficina de educação intercultural com 131 estudantes universitários, tendo como tema "O protocolo negro-branco". Convidou, assim, um casal de negros para protagonizar situações vividas relacionadas com conflitos inter-raciais. A vivência foi conduzida de forma improvisada, com a introdução de uma personagem branca que estimulou ações espontâneo-criativas, seguidas de comentários da plateia e do processamento do diretor.

O psicodrama, como teoria e método que visa descobrir a verdade dos grupos de indivíduos através da ação, tem em sua evolução uma relação intrínseca com as questões de ordem étnica.

## O JORNAL VIVO

Em meio às possibilidades metodológicas de expressão do psicodrama, Moreno (2012) parte da criação do teatro da espontaneidade, caracterizado por alguns aspectos: eliminação do dramaturgo e do texto escrito, participação ativa da plateia, palco aberto e improvisação das cenas. Porém, com o passar do tempo, ele viu o interesse do público diminuir, perdeu atores para o teatro tradicional e recebeu comentários incrédulos a respeito da natureza espontânea das apresentações. Em resposta à crise, Moreno teve a ideia de trabalhar com notícias de jornais do dia como conteúdo a ser dramatizado. Segundo Jonathan Moreno (2016, p. 90), "os membros do elenco reencenavam acontecimentos da cidade daquele dia e, frequentemente, do último minuto, para combater a desconfiança do público de que as interpretações poderiam ter sido escritas secretamente".

Nascia assim o jornal vivo ou dramatizado: síntese entre jornal e teatro, é uma forma de teatro espontâneo que privilegia o efeito sociodramático, ou seja, valoriza mais os aspectos coletivos do que os pessoais na cena desenvolvida. Jonathan Moreno (2016, p. 93) faz referência ao "sociodrama do jornal vivo", enquanto Ruiz-Moreno *et al.* (2005, p. 197) situam o jornal vivo "como uma estratégia psicodramática". Já Romaña (1999, p. 14) o denomina tecido ou complexo psicodramático:

> No jornal vivo procura-se dar um novo tratamento a alguma notícia veiculada pelos meios de comunicação. Uma forma possível para trabalhar [...] é a de ir compondo as cenas de acordo com a versão oficial da notícia e depois introduzir as mudanças que se fizerem necessárias até que ela adquira uma versão satisfatória, na opinião do grupo.

Moreno (1991) utiliza-se do sociodrama para compreender os conflitos interculturais reais entre negros e brancos. É interessante observar que, na obra em questão, sociodrama, jornal vivo e questões raciais aparecem no mesmo capítulo, revelando sua estreita relação na construção e atuação do psicodrama moreniano – ainda que haja ausência de um consenso metodológico.

## A QUESTÃO DO NEGRO

Negro? Pardo? Mulato? Afrodescendente? São diversas as discussões em torno do tema, e muitas vezes as visões se mostram bastante rasas. Silva (2017, p. 202) defende o uso da palavra "negro" e apresenta para tanto diversos argumentos. Inicialmente utilizado como instrumento de ofensa e humilhação, o vocábulo é agora reivindicado pelo movimento negro como forma de superação, "positivando o que era negativo. Aqui acontece algo estranho para quem ofende. Se a palavra perde o poder de ofender, o ofensor perde um instrumento importante na prática (discriminação) e na manutenção psíquica (o preconceito) do racismo".

O racismo brasileiro não é melhor nem pior que em outros países, mas tem características bem próprias: sutileza, disfarce, invisibilidade, dissimulação e silêncio (Munanga, 2017). Há quem diga que a palavra "negro" deveria ser outra, mas a esses críticos dizemos não. A escolha é essa e demanda respeito. Dito isso, vamos à ação e à reflexão...

Maria Célia Malaquias (org.)

## A SESSÃO DO JORNAL VIVO EM AÇÃO...
## Aquecimento(s)

O grupo é formado por 11 participantes, envolvidos com a temática racial e/ou estudiosos de psicodrama, vindo das primeiras escolas – Associação Brasileira de Psicodrama e Sociodrama e Sociedade de Psicodrama de São Paulo – surgidas após o congresso realizado no Masp em 1970. Dois grupos unidos pelo mesmo critério sociométrico vivendo o psicodrama no enfrentamento de questões raciais. Encontram-se, reconhecem-se, bem como mesclam suas origens negra, branca e amarela. Desfrutam do café com guloseimas compartilhadas e entabulam conversas informais.

O diretor utiliza um jogo de apresentação para ampliar a cumplicidade entre os participantes. Pede que formem, em silêncio e de forma intuitiva, uma linha do tempo de seu envolvimento com o psicodrama. Surgem de profissionais formados há mais de 20 anos a estudantes. Uma participante conta que passou por algumas escolas, outra que sua formação havia durado quatro anos. Houve quem estranhasse o relacionamento próximo entre alunos e professores. Uma das participantes diz que o psicodrama é muito mais que uma técnica e que trabalha "com um olhar psicodramático, com filosofia e teoria". O contato com o psicodrama, para os membros daquele grupo, aconteceu na universidade, na área da saúde, no meio coorporativo... É o trabalho moreniano difundido em diversas partes.

Em seguida, nova pergunta do diretor: qual foi o seu primeiro contato com o tema etnia? As respostas foram agrupadas nas seguintes categorias:

### A família

*Meu pai dizia que o lugar do negro era em todos os lugares, embora não usasse a palavra "negro" [...] para ele era ofensivo. Também lembro que havia a questão de minha mãe ser negra e trabalhar em casa de família.*

*Nunca foi uma questão para eles. Mas eu me recordo de que, quando voltava de uma entrevista de emprego, minha mãe perguntava: tinha alguém*

Psicodrama e relações étnico-raciais

*da sua cor? Ela sempre pergunta a mesma coisa, fui me dando conta de que eu tinha uma característica diferente.*

*Minha mãe [branca] acha que nunca existiu racismo e meu pai [negro] vive na pele até hoje. Eu tenho a lembrança do meu pai desde cedo falando assim: "Você tem que ser duas vezes melhor do que os outros pela sua cor".*

*Minha mãe é portuguesa, ela tem até hoje um discurso que desde criança me assombrava. Era um discurso de ódio.*

## A escola

*Quando eu tinha uns 6 anos e comecei a frequentar a escola, deixei de me sentir confortável.*

*Eu sempre fui bolsista de escola particular. Então, era a única negra até o ensino médio. E com o tempo eu fui percebendo que as crianças não queriam brincar comigo por causa da minha cor. Lembro que eu gostava de um menininho e ele disse: "Ah não, eu não gosto de você porque você é preta".*

*Fui me dar conta dessa questão racial quando comecei a trabalhar na universidade, quando começou o discurso das cotas [...]. Percebi que não havia alunos negros, a não ser os bolsistas de Moçambique e de Angola. Não havia funcionários nem professores negros.*

## O cabelo, a imagem

*Eles me chamavam de "cabelo de Bombril".*

*Namorei um cara por um ano até que ele me convidou para ir à praia. Na época, eu alisava o cabelo e eu me dei conta de que ele nunca tinha me visto de cabelo molhado. E pensei: "Meu Deus, como vai ser agora?"*

## Tornar-se negro

*Só fui saber o que estava acontecendo bem tarde, lá pelos meus 25 anos, segundo ano da faculdade.*

*Eu comecei, não posso mais negar o que sou, preciso sair disso. E foi aí que comecei de fato uma experiência muito mais próxima de quem eu sou.*

*Eu entrei para [...] o movimento de mulheres negras. A gente começou a trabalhar e eu passei a ver esse movimento de outra forma; percebi que eu não precisava ser duas vezes melhor, só precisava ser eu.*

O grupo aponta que o contato com a questão étnica-racial se dá principalmente pelas instituições família e escola, as placentas sociais formadoras de opinião e da identidade de cada um. Estas geram valores que orientam nossa autoestima, como a imagem sobre o cabelo e a longa trajetória na busca da descoberta de si mesmo de forma espontânea e criativa. Os participantes demonstram grande envolvimento com a proposta, sendo então apresentada pelo diretor uma nova etapa: as notícias de jornais.

São espalhadas as seguintes manchetes:

- MP vai investigar promotor por textos negros.
- Bolsonaro é condenado por frase sobre quilombolas.
- União contra intolerância religiosa.
- Ladrões invadem e profanam terreiro.
- Consulesa Alexandra Loras fala do preconceito que ela sofreu no Brasil.

As notícias foram selecionadas pelo diretor, à luz de sua subjetividade. A fim de não impor suas escolhas, ele incluiu uma folha em branco para que possa manifestar alguma matéria diferente daquelas apresentadas, caso as anteriores não contemplassem a identificação dos participantes – gerando um trabalho de construção coletiva, de intersubjetividades.

Individualmente, em pares e trios, manuseiam e comentam as notícias. Atrações e rejeições aos relatos se apresentam. Tudo em busca de um fato que tenha carga emocional e cognitiva representativa para ser porta-voz dos interesses do grupo sobre o tema a ser dramatizado.

Aos poucos a notícia (oculta) na folha em branco que uma participante segura começa a despertar interesse. Ela se refere ao fato de um jornalista que, em tom de sarcasmo, comenta com um colega a respeito de um motorista que passara buzinando: "Isso é coisa de preto!" A notícia é eleita pelo grupo para ser dramatizada e a autora da manchete é escolhida como protagonista.

## Dramatização: o núcleo do psicodrama (jornal vivo)

O diretor a convida para caminhar no espaço do palco, solicitando que se concentre na frase "*É coisa de preto*" a fim de ajudar a construir o cenário e o personagem. Ela expressa raiva e indignação com a atitude do jornalista. O diretor provoca a plateia para que alguém assuma o lugar do jornalista.

Participante/Jornalista: — Eu posso!

Protagonista: — Você pensou que ia passar batido, já que tem esse poderio todo.

Jornalista: — Eu falei na brincadeira.

Protagonista: — Brincadeira?

Jornalista: — Sou um profissional respeitado, de prestígio.

Protagonista: — Escuta, acabou. Vamos falar sério.

Uma participante se aproxima do jornalista e realiza um duplo: — Eu sou homem branco, poderoso; homem branco neste país é quem manda.

Protagonista: — Olhe para mim, eu sou uma mulher negra. Olhe, encare.

Outra participante fica ao lado do jornalista, ampliando o coro: — Isso é só uma notinha, do jeito que o país funciona, logo se esquece.

Protagonista: — Vamos parar com esse sorriso sarcástico. A sua tevê precisou te dar um cala-boca, te retirando do ar.

O diretor congela a cena e pergunta à plateia: — O que vocês estão vendo aqui?

Plateia: — A sensação é de que ela [protagonista] está perdendo força.

Diretor: — E este aqui [jornalista] está ganhando força. É importante ver, aqui está triplamente mais forte (personagem e dois duplos). Ok, continuem.

A manifestação da plateia provoca uma reação na protagonista.

Protagonista: — A gente precisa se unir, a gente precisa se ajudar. Você [referindo-se ao jornalista] não está enxergando quem está junto comigo. Tem toda uma história, uma ancestralidade.

Nesse instante, entram espontaneamente na cena três participantes e ficam ao lado da protagonista. Passarei a chamar os dois agrupamentos de "Grupo dos Negros" e "Grupo Dominante", como Moreno menciona em um de seus trabalhos.

O embate entre os dois grupos se amplia de forma acalorada. Entretanto, corre-se o risco de cair numa discussão monótona e repetitiva, carente de saídas espontâneas. Uma das participantes do Grupo Negro tem a seguinte percepção:

Grupo dos Negros: — A questão não é o falatório. Movimentos negros estão se juntando pelo Brasil, movimentos como este. Deve ter outros como este, falando sobre o mesmo assunto. [...] a gente precisa criar interlocução com quem de fato está disposto a nos ouvir. Não acho que eles (Grupo Dominante) estejam.

O diretor (apoiando-se na principal premissa do psicodrama, a espontaneidade – capacidade do ser humano de encontrar alternativas de ação adequadas à situação presente) convoca os participantes (estimulando uma resposta espontânea e criativa): — Pensem numa maneira de fazer isso aqui.

Eis que surgem os personagens e suas falas:

Universidade: — Eu sou uma possibilidade de interlocução. Sou os espaços da comunidade, as escolas, as universidades.

Grupo dos Negros: — Vamos nos concentrar aqui, não vamos perder energia. Acredito na via da educação, em interlocução entre pares, em multiplicação entre pessoas.

Escola: — Eu estou enfraquecendo. Mas conto com eles (Grupo dos Negros) para não enfraquecer.

Diretor (fortalecendo as ações, entrevista os personagens brevemente, para não desaquecer a cena): — Diga a eles: "Eu preciso de vocês!"

Escola: — Eu, Universidade, preciso de vocês!

Aparece uma personagem indefinida, que aos poucos se reconhece como uma cidadã incomodada com os rumos das discussões:

Cidadã: — Eu vejo que a gente acaba perdendo força quando entra numa discussão muito superficial. Se a questão que vem à tona é uma matéria relacionada com o jornalista [...] a gente perde força. A gente precisa discutir outras questões mais estruturais que nos deem sustentação.

Vão surgindo novos personagens, que dialogam com o Grupo dos Negros:

- uma mídia diferente voltada para os interesses do Grupo dos Negros, que veicularia pautas desse grupo;
- as redes sociais que acreditam no poder da discussão – não as que separam, mas aquelas que agregam valor;
- uma estudante;
- uma mãe em situação de vulnerabilidade.

Por fim, o diretor entrevista a protagonista, perguntando: — Quem é você?

Protagonista: — Eu sou uma pessoa que acredita muito que as pessoas, juntas, podem realizar coisas. Então, minha principal função é ajudar os indivíduos a estar em grupo. A ver e reconhecer a sua força como grupo.

Diretor: — Uma Congregadora?

A protagonista se surpreende, pensa e concorda: — Sim, Congregadora!

Uma participante da plateia entra na cena: — Sou professora da educação básica. Acredito que só através dessa educação a gente consegue uma mudança mais profunda.

Ocorrem manifestações de apoio à educação infantil, juntamente com as universidades, para transformar o cenário atual.

O diretor pede que os participantes, um de cada vez, deixem o lugar do seu personagem e circulem pelo cenário. Começa pela pessoa que está no papel da Universidade.

A participante escolhe mexer na posição dos personagens: — Essa pessoa que congrega (protagonista) as várias pessoas diferentes precisa estar mais em evidência; ela liga as pessoas.

A partir daí, o grupo assume a direção, que é recebida pelo diretor como sinal de autonomia e coconstrução. A Congregadora começa a andar, aproximando-se dos outros e interligando-os. Todos se movimentam, ficando mais perto uns dos outros. Surgem as seguintes expressões:

- trocas que fluem, troca de saberes;
- dar e receber;
- consciência;
- conhecimento;
- mobilização;
- reparação;
- identificação – as pessoas precisam se identificar mais umas com as outras, se valorizar mais;
- a força da construção – estamos num momento de tanta destruição porque o outro é diferente, porque o outro não pensa do jeito como pensamos. Precisamos da força de construir junto.

Diretor: — Tirem uma foto, façam o seu registro interno para que, ao encerrar esta cena, vocês sejam alimentados e transformados por ela. Que ela vá com vocês para fora desta sala, para o dia a dia, para a prática. Porque esse é um caminho que este grupo encontrou coletivamente.

A cena se encerra.

## Compartilhamento

Um silêncio se faz, para retomar o fôlego e dividir as sensações e compreensões do que foi vivido. As falas a seguir ilustram o drama revelado:

*Eu me surpreendi, e ficou evidente a força do psicodrama [...] tenho ciência de que tem uma parte minha e uma parte do coletivo no papel que joguei ali, embora eu não estivesse pensando nisso. [...]. Embora eu sentisse que algo tinha mudado, só fui me dar conta quando fui alertada para isso.*

*[...] foi uma oportunidade de vivenciar o jornal vivo de outro jeito [...] Eu me percebi modificando a minha emoção dentro do grupo. [...] foi muito novo [...] viver isso no grupo, especialmente as saídas que nós, enquanto grupo, encontramos. Ficou um calor gostoso.*

*Quando surgiu essa proposta de participar desse psicodrama, pensei: "Isso é fácil, estou muito bem resolvida com isso"... Mas ao longo da vivência senti um baque total, me veio muito do quanto eu já sofri com isso. [...] E o final foi muito terapêutico.*

*[...] é uma oportunidade de estudar as relações raciais de um modo mais consistente sob a luz do psicodrama, que é a minha linha teórica. Ter estado com vocês me alimentou muito. Porque de fato eu fico me perguntando como é que posso ter uma atuação um pouco mais efetiva [...].*

*Vivenciar isso na ação dramática foi muito importante e me fortaleceu. Como branca, passei a me perguntar: "Qual é o meu lugar aqui? Como posso questionar tudo isso e fortalecer esse discurso que tanto me mobiliza?" [...] Sinto gratidão por poder estar aqui com vocês e conseguir pensar fora da caixa.*

Assim, os participantes apresentaram o psicodrama mediado pelo jornal vivo como recurso fomentador da tomada de consciência revelada na e pela ação dramática em grupo. Destacaram transformações nas dimensões pessoais e coletivas, apontando que a vivência se transformou em espaço de estudo e de transformação (psico)terapêutica, bem como de união de pessoas negras e brancas que (se) escolhem positivamente discutir o tema.

## CONSIDERAÇÕES FINAIS

Em suas múltiplas formas de expressão – inclusive no jornal vivo –, o psicodrama busca encontrar a verdade, o sentido dos fatos vivenciado pelos próprios participantes como protagonistas, atores e autores de seus dramas. Estimula que a centelha divina e o deus que habita cada um tenham espaço, voz e movimento. Defende que o ser humano tem sua essência na relação com os outros, podendo adoecer, mas também se curar. Este capítulo mostra que podemos nos curar do racismo ativo, dissimulado, silencioso e inconsciente, mas que machuca e destrói as pessoas.

Um antídoto ao racismo começa nas famílias, com exemplos de respeito às diferenças; nas escolas com uma educação inclusiva que ressalte a história dos negros na constituição do povo brasileiro; e nas políticas afirmativas, que combatem a desigualdade que gera violência e impede o negro de tornar-se quem ele de fato é.

No momento em que termino este capítulo, leio no jornal a seguinte manchete:

**Ser negra dobra risco de morte de jovem**
Índice foi calculado pelo governo e pela Unesco com base em dados de 304 grandes cidades; só no PR taxa de mortalidade de brancas é maior (*O Estado de S. Paulo*, 12 dez. 2017)

É o jornal que continua vivo bem ao estilo moreniano, alertando-nos de que sobreviverá quem souber encontrar forma criativas de viver, trocando de olhos e enxergando o outro, com sua história, seus valores e desafios. Assim, sonho com um tempo em que não precisemos celebrar o dia da Consciência Negra, pois de fato teremos atingido a igualdade racial de uma Consciência Humana. Por ora, racismo existe – e é necessário enfrentar o drama para desdramatizá-lo!

## REFERÊNCIAS

Bustos, Dalmiro M. *O teste sociométrico: fundamentos, técnica e aplicações*. São Paulo: Brasiliense, 1979.

Cepeda, Norival A.; Martin, Maria Aparecida F. *Masp 1970: o psicodrama*. São Paulo: Ágora, 2010.

MARINEAU, René F. *Jacob Levy Moreno, 1889-1974: pai do psicodrama, da sociometria e da psicoterapia de grupo*. São Paulo: Ágora, 1992.

MORENO, Jonathan D. *Impromptu man: J. L. Moreno e as origens do psicodrama, da cultura do encontro e das redes sociais*. São Paulo: Febrap, 2016.

MORENO, Jacob L. *Psicodrama*. São Paulo: Cultrix, 1991.

_____. *As palavras do pai*. Campinas: Psy, 1992.

_____. *Quem sobreviverá? Fundamentos da sociometria, da psicoterapia de grupo e do sociodrama*. Goiânia: Dimensão, 1994, v. 2.

_____. *Quem sobreviverá? Fundamentos da sociometria, da psicoterapia de grupo e do sociodrama*. Edição do estudante. São Paulo: Daimon, 2008.

_____. *O teatro da espontaneidade*. São Paulo: Ágora, 2012.

MUNANGA, Kabengele. "As ambiguidades do racismo à brasileira". In: KON, Noemi Moritz; SILVA, Maria Lúcia da; ABUD, Cristiane Curi (orgs.). *O racismo e o negro no Brasil: questões para a psicanálise*. São Paulo: Perspectiva, 2017, p. 33-44.

PALHARES, Isabela. "Ser negra dobra risco de morte de jovem". *O Estado de S. Paulo*, 11 dez. 2017, p. A15. Disponível em: <https://brasil.estadao.com.br/noticias/geral,ser-negra-dobra-risco-de-morte-de-jovem,70002115406>. Acesso em: 3 dez. 2019.

ROMAÑA, Maria Alícia. "Desenvolvendo um pensamento vivo mediante uma didática sócio psicodramática". *Linhas Críticas*, v. 4, n. 7/8, 1999, p. 11-16.

RUIZ-MORENO, Lídia *et al.* "Jornal vivo: relato de uma experiência de ensino-aprendizagem na área da saúde". *Interface – Comunicação, Saúde, Educação*, v. 9, n. 16, set. 2004-fev. 2005, p. 195-204.

SILVA, Luiz (Cuti). "Quem tem medo da palavra negro". In: KON, Noemi Moritz; SILVA, Maria Lúcia da; ABUD, Cristiane Curi (orgs.). *O racismo e o negro no Brasil: questões para a psicanálise*. São Paulo: Perspectiva, 2017, p. 197-212.

# 9. O processo de inclusão racial – Uma pesquisa com sociodrama

*Maria da Penha Nery*

A cada novo momento, a vida se refaz e nós nos recriamos. Nessas ocasiões, por meio de papéis sociais, enfrentamos, repetimos e transformamos as relações humanas, os grupos, a sociedade e a nós mesmos.

Os papéis são uma "unidade cultural de conduta" (Moreno, 1974, p. 34) em que nossa subjetividade reproduzirá a cultura e a história de uma sociedade. Porém, eles também nos trarão a oportunidade de liberar a espontaneidade-criatividade e de reconstruir a história. Assim, somos protagonistas, responsáveis e corresponsáveis por um mundo melhor.

No início da década de 2000, observamos, por meio de uma pesquisa, esse processo de intercâmbio indivíduo-sociedade, a experiência micro e macropolítica e de revivência e renovação da história no Brasil, ou seja, o surgimento de novos papéis sociais. Nesse período, ocorreram no país intensos debates sobre a implantação da política afirmativa do sistema de cotas para negros nas universidades brasileiras. Foi quando se consolidou a geração dos mais recentes papéis na sociedade: o de estudante cotista (negros que são aprovados por meio da política afirmativa) e o de estudante universalista (brancos ou negros que foram aprovados no vestibular sem o sistema de cotas).

O papel de cotista e o de universalista são estabelecidos dentro das relações de poder na sociedade (Foucault, 2002; Marx, 2005), caracterizada principalmente pela exclusão dos negros ao acesso a bens materiais e imateriais e por sua discriminação pelos brancos. Estes sempre tiveram e buscaram manter seu *status quo* social, inclusive o de acesso às universidades públicas.

Também esses papéis surgem de uma hierarquia socionômica (Moreno, 1974), ou da posição de inclusão ou exclusão afetiva de um grupo em relação a outro. O campo emocional, de aceitação e de rejeição dos diferentes gera competições sociais específicas.

O estudante cotista e o estudante universalista demonstram, portanto, que os papéis sociais emergem quando os elementos caóticos das relações afetivas e do exercício de poder na sociedade começam a se organizar (Nery, 2003).

A novidade dos fatos demanda dos grupos sociais processos adaptativos, a fim de que as resistências à mudança sejam liberadas. Os novos papéis sociais de cotista e de universalista exigiram um "ritual de passagem" para que a sociedade os absorvesse. No caso da política afirmativa do sistema de cotas para negros, o vestibular e a forma como ele é realizado tornaram-se alguns desses rituais.

Os estudantes cotistas e os estudantes universalistas, os professores e os grupos sociais vivem uma tensão relativa à mudança social, em que se acirram – e, ao mesmo tempo, se trabalham – as resistências, os preconceitos e as discriminações. Nesse sentido, concluímos, em nossa pesquisa na Universidade de Brasília (UnB), ao implantar o sistema de cotas raciais, a importância de se propiciar aos grupos sociais processos inclusivos que sejam menos sofridos para as pessoas envolvidas.

Verificamos, por exemplo, que a informação adequada sobre o racismo no Brasil, o aprofundamento da crítica social, o desenvolvimento do diálogo empático e a participação em eventos de esclarecimento sobre o tema eram algumas possibilidades da convivência com respeito às diferenças, que despertasse o interesse no país pela melhoria na redistribuição de renda e no refazimento dos privilégios e das relações de poder na sociedade.

A história das negras e dos negros no Brasil, sempre revisada por historiadores e por eles contada de maneira cada vez mais profunda, desde a escravidão até os dias de hoje, é refletida nos dados do Instituto Brasileiro de Geografia e Estatística (IBGE). Em 2014, 70% da população pobre e miserável era constituída por negros, sendo que estes compõem 55% da população geral.

Esse dado implica, por exemplo, que: a educação, os empregos, os cargos de alto escalão e os espaços de privilégio são ocupados pelos brancos; as prisões sumárias, a falta de assistência judicial, os piores salários e as mortes violentas nas grandes cidades são vividos pelos negros e pelas negras do país.

A história e a estatística sobre os negros na sociedade brasileira demonstram um racismo de resultados, ou institucional. Segundo Santos (2007), o racismo institucional é aquele que traz o resultado de manter o negro excluído, vivendo em sua grande maioria na miséria ou na pobreza, por meio da discriminação e do preconceito severos e constantes praticados pela sociedade.

No Brasil também há o racismo de "marca", em que a cor e as características fenotípicas delimitam a discriminação, ou seja, quanto mais negro, mais preconceito (Guimarães, 2002; Nogueira, 1985). A grande maioria da população brasileira é de afrodescendentes, é miscigenada e tem sangue negro, mas o processo de branqueamento da população, com os portugueses colonizadores e, mais tarde, com a imigração europeia, contribuiu para a tipicidade de nosso racismo (Fernandes, 1972; Azevedo, 2004; Carone e Bento, 2002).

Dentro da realidade dos dados do IBGE de que apenas 5% da população universitária era negra, algumas universidades decidiram implantar o sistema de cotas para facilitar o ingresso de pessoas negras no ensino superior. Segundo essas instituições, seria uma política de justiça redistributiva, em que se poderia igualar as chances de competição social, além de um processo pedagógico em que a sociedade se repensaria e reaprenderia as relações raciais e de poder (Gomes, 2001).

Queiroz (2002) apresenta estudos importantes sobre o negro nas universidades e aponta a necessidade de muitas outras pesquisas sobre essa realidade. A autora explicita a ínfima estatística do corpo docente e discente, assim como os processos de discriminação que esse público vive em tais ambientes.

Nossa pesquisa de doutorado ocorreu entre 2003 e 2008, quando a UnB implantou o sistema de cotas. Foram realizados muitos e intensos debates, discussões e eventos relacionados com essa política afirmativa e sobre como se daria sua implantação na universidade (Carvalho, 2003; Belchior, 2006; Nery e Conceição, 2006).

Buscamos compreender esse relevante momento histórico no país, de surgimento dos papéis sociais de cotista e de universalista. Tentamos observar as interações afetivas entre cotistas e universalistas, as repercussões dessas interações no processo de inclusão racial e contribuir para torná-lo menos sofrido para os envolvidos.

Eis uma importante molécula social, os papéis sociais que emergem a partir de uma política afirmativa, que tentamos destrinchar com o microscópio peculiar da socionomia, ciência criada por Jacob Levy Moreno (1974) que consiste no estudo dos grupos e das relações humanas.

Utilizamos entrevistas, análise de documentos e sociodramas (Moreno, 1974) como métodos de pesquisa. No caso, o sociodrama temático é um método de ação em que, em um encontro, os participantes são convidados a interagir e a expressar o que pensam e sentem sobre determinado tema. Há etapas dessa interação, as quais chamamos de aquecimento, dramatização e compartilhar. Na etapa da dramatização, o grupo escolhe uma cena de um participante ou do próprio grupo em que todos contribuem, por meio de personagens, para que seja revivida. Nas cenas relativas à inclusão dos negros na universidade, com a criação coletiva, o grupo tenta novas respostas para os conflitos que emergem.

Duas pessoas e eu coordenamos o encontro (em papéis de egos-auxiliares e diretora) e contribuímos, com técnicas específicas, para que os personagens revivessem as cenas. A espontaneidade-criatividade que buscamos no sociodrama serve para que os participantes criem, de forma livre e conjunta, respostas para os conflitos nos diversos momentos do encontro, resultando em um aprendizado psicodramático.

Nos sociodramas realizados, a intimidade dos participantes aflorou corajosamente e desvelou conteúdos coinconscientes presentes na vigência dessa política afirmativa.

Para essa pesquisa, desenvolvemos uma análise sociodramática a fim de compreender os fenômenos interacionais e os conteúdos que emergiram (Nery, 2008). Tal análise teve contribuição da análise de informação de González-Rey (2002) e de outras desenvolvidas por psicodramatistas cientistas. Em síntese, de cada sociodrama, observamos diversas vezes a filmagem, as fotos, os diálogos, os personagens, as interações, as imagens, as expressões corporais, as falas. Em meio a esses elementos, encontramos conjuntos de indicadores para construirmos categorias relativas a um fenômeno. E, do conjunto de categorias, chegamos às zonas de sentido.

As interações espontâneas entre os estudantes cotistas e universalistas e os personagens da dramatização repercutiram em uma sociometria peculiar. A sociometria é o campo afetivo criado no encontro, em que os afetos são expressos, resultando confrontos e encontros, identificações e processos cotransferenciais (ou de trocas de conteúdos psíquicos que perturbam a criação conjunta). Os comportamentos e atitudes demonstram situações de exclusão, abandono, rejeição de grupos e subgrupos ou coesão de subgrupos.

A sociometria detectada nos ajudou a compreender os novos papéis sociais e o intercâmbio de subjetividades nesse momento inclusivo da universidade.

As entrevistas, as revistas e os documentos passaram por análises semelhantes e se tornaram suportes para os dados dos sociodramas, corroborando-os.

Focando nos sociodramas, tivemos ricos debates iniciais de aquecimento sobre o tema, depois a escolha de cenas dos participantes e, finalmente, o compartilhamento e os comentários finais. Cada etapa foi analisada de forma específica, de acordo com seus elementos. As cenas escolhidas e dramatizadas foram: o resultado do vestibular; um debate entre um cotista e universalista no corredor da universidade; um debate em sala de aula; o sofrimento de uma aluna que não passou no sistema universal.

Apresentaremos a seguir as zonas de sentido que encontramos na pesquisa desse importante momento do país.

## AFETIVIDADE E SUAS REPERCUSSÕES NA SOCIOMETRIA
### Cotista: temores e autocobrança. Ocultação da identidade
### Sociometria: isolamento

Nos sociodramas, encontramos vários indicadores de que os cotistas interagiram predominantemente com o temor da discriminação, demonstrando autocobrança para um excelente desempenho acadêmico, como tentativa de neutralizar essa discriminação. Falas como: "Farei de tudo para ter sucesso acadêmico", "Vou provar que passei por mérito, não por benefício" ou a imagem da cena em que eles ficam de olhos baixos ou em um canto da sala, com o solilóquio de que poderiam sofrer preconceito, estiveram presentes.

Os cotistas expressam raiva, indignação, culpa, vergonha, grande constrangimento e sensação de desmerecimento. Essas respostas afetivas fazem que eles se mantenham à margem, ocultem sua identidade e sofram abalos em sua autoestima. Tentam convencer os demais sobre os fundamentos sócio-históricos da ação afirmativa, mas as atitudes e as expressões corporais dos universalistas mostram descaso.

As análises das entrevistas e de matérias em jornais e revistas sobre o tema reiteraram os achados dos sociodramas, principalmente o de que os cotistas tentam ocultar essa identidade, evitam participar de eventos com o tema da política afirmativa e se expor, por temer a discriminação.

A sociometria resultante é a de isolamento do cotista em relação ao grupo, presente nos indicadores de ficarem mais à margem na sala, os olhos voltados para baixo e o pouco contato com os outros cotistas.

**Universalista: indiferenças, descaso e sentimento de injustiça**
**Sociometria: agrupamento pelo individualismo**
Os universalistas apresentaram indiferença ao cotista, descaso em relação às identidades raciais e negação da compreensão dos fundamentos teóricos e históricos das políticas afirmativas. Nos indicadores, encontramos diálogos em que afirmavam que não tinham de pagar por erros históricos e que hoje o Brasil traz oportunidades para todos, que todos tinham de estudar para alcançar a universidade e que a qualidade desta poderia diminuir com esse sistema.

As falas e as atitudes dos universalistas relacionavam o cotista com uma condição de beneficiado, de privilegiado, fazendo surgir ideias de meritocracia ou de desprestígio das cotas raciais, desqualificando-as em relação às cotas sociais (sistema de cotas para pobres).

O sentimento de injustiça foi expresso pelos universalistas, com a valorização de questões pessoais em detrimento de questões coletivas e a desqualificação das temáticas raciais com apego à ideologia dominante. Em determinada cena, participantes valorizaram o sofrimento pessoal e desprivilegiaram as questões raciais.

A sociometria resultante é a de fortalecimento das relações entre os que têm ideologias semelhantes, além de indiferença e individualismo, demonstrados nos indicadores de reforçamento de falas dos colegas, nas aproximações e nas trocas de olhares mais frequentes entre os universalistas, sinalizando a empatia predominante entre eles.

**Ambivalências afetivas: ambos os subgrupos apresentaram hostilidade e desejo de união. Sociodrama como facilitador do diálogo empático**

A afetividade intergrupal entre cotistas e universalistas refletiu ambivalências afetivas capazes de expressar hostilidade e desejo de união, amor aos negros e fechamento à compreensão da própria realidade, além de enfrentamento da afetividade presente nesse processo inclusivo e a negação desse enfrentamento.

Observamos, nos sociodramas e nos outros meios de pesquisa, que a política afirmativa expõe diversos tipos de preconceito e de discriminação presentes na sociedade com novas roupagens na atual relação de poder. Porém, à medida que as cenas eram revividas, com a exposição dos dramas de todos os presentes, esclarecimentos do momento histórico, da peculiaridade do racismo e dos sofrimentos de todos, os cotistas propunham o diálogo e os universalistas passaram a demonstrar empatia.

Quando invertiam papéis e eram entrevistados ou interagiam por meio dessas inversões, eles expressavam conteúdos além do que já tinham sido manifestados, ampliando o processo interacional. No compartilhar, demonstraram empatia mútua e compreensão do sofrimento dos presentes em relação ao momento histórico-social e concluíram sobre a importância do processo inclusivo, da participação como esperança para a saída do silenciamento e da anulação da identidade racial.

Maria Célia Malaquias (org.)

## DOS PROCESSOS IDENTITÁRIOS: PARADOXO, OCULTAMENTO E RADICALIZAÇÃO DA IDENTIDADE E SUAS INFLUÊNCIAS NA POLITICIDADE

O surgimento e o desenvolvimento dos papéis de cotista e de universalista reproduzem as relações de poder e raciais presentes na sociedade, mas, ao mesmo tempo, trazem a oportunidade de uma transformação social, pois revelam aprendizados afetivos de nossa história e de nossa cultura e produzem interações que ampliam a consciência sociocrítica. Nesse sentido, nos aproximamos do conceito de Naffah Netto (1979) de papéis históricos, ao afirmar que os papéis trazem as opressões presentes nas relações de poder da sociedade capitalista.

Os novos papéis refletem uma radicalização das identidades, ou seja, as definições e as experiências de "sou negro" e "sou branco". Nesse processo de radicalização, os conflitos, as ameaças e os preconceitos se acirram. Os subgrupos se formam para se defender e atacar os diferentes.

Observamos que a política afirmativa produziu essa radicalização, demonstrada nos sociodramas. Cotistas e universalistas se exacerbavam em suas identidades para se identificar, validar seus direitos, se atacar ou se proteger.

O processo de radicalização necessita ser flexibilizado para que a convivência inclusiva aconteça com menos sofrimento. Os sociodramas, por serem encontros específicos para se rever as relações, contribuíram para a flexibilização da identidade, com o fluir das subjetividades dos participantes no sentido de maior integração e do desenvolvimento do diálogo empático.

No estudo, também detectamos o paradoxo identitário, processo em que o cotista carrega simultaneamente o desejo de se expor nesse papel e o temor da exclusão, enquanto o universalista branco não se dispõe a aprofundar os conhecimentos sobre as relações raciais no Brasil e ao mesmo tempo diz "Amo os negros". Esse paradoxo enfraquece a participação do cotista nos confrontos sociais e ajuda o universalista a manter o racismo de resultados no país.

Elizondo e Crosby (2006) concluíram que os grupos étnicos, quando se organizam, não se sentem inferiores no processo inclusivo.

Porém, em nosso estudo, observamos que o paradoxo identitário, o ocultamento da identidade e o isolamento do cotista dificultam sua organização política e nos fazem inferir que eles vivem dificuldades de se aceitar na experiência da ação afirmativa.

Supomos, em nosso trabalho, que a inclusão racial efetivamente ocorre quando os sujeitos que dela participam reorganizam projetos dramáticos (planos de ação e ação conjunta) no sentido de produzir *status* sociométricos que favoreçam a integração social dos sujeitos aprovados pelo sistema de cotas da UnB. Porém, essa integração não foi observada, e os sociodramas se tornaram métodos que contribuíram para que ela se iniciasse. A pesquisa também se tornou, portanto, interventiva.

A prevalência da fase da diferenciação vertical competitiva demonstrou a dinâmica da interação cotista-universalista que não favorece a efetiva inclusão racial na universidade, fundamentada na compreensão crítica e sociopolítica do universalista desse momento, na sua aproximação da realidade do cotista ou no sucesso da participação do cotista por sua inclusão de forma menos sofrida.

## DINÂMICAS AFETIVAS GRUPAIS E POLITICIDADE, MECANISMOS AFETIVOS DE MANUTENÇÃO DO *STATUS QUO*: "ANTIEMPATIA", AMBIVALÊNCIAS AFETIVAS

Os grupos passam por fases que se revigoram e repetem de maneiras diferenciadas a cada nova circunstância (Nery, 2012). Essas fases incluem as dos papéis sociais e como estão sendo desempenhados. A etapa da indiferenciação está presente no surgimento do novo papel, em que os envolvidos sofrem a tensão do caótico. A fase da diferenciação horizontal se aproxima quando os participantes expressam como vivem e entendem esses papéis. E observamos que houve o predomínio da fase da diferenciação vertical competitiva, que promoveu uma competição sociométrica específica. Nessa competição, cada subgrupo tentou conquistar participantes para sua constituição: os cotistas, apesar de se isolarem, tentam convencer os outros da necessidade das cotas, ao passo que os universalistas tentam convencer os outros da injustiça que vivem.

Os universalistas usaram mecanismos afetivos para conquistar ou manter espaços ou bens sociais, entre eles a "antiempatia" e as ambivalências afetivas. Estes mecanismos refletem, por exemplo, uma indisponibilidade para o desenvolvimento da capacidade empática em relação à minoria por parte dos universalistas. Por parte dos cotistas, há indisponibilidade da empatia em relação ao universalista, por se aliar às suas questões sociorraciais. Ambos os subgrupos viveram a contradição da hostilidade e do desejo de união em relação ao outro.

Alertamos para a importância de que os cotistas se apossem de sua nova identidade, expondo-a e desenvolvendo sua politicidade. É importante que todos os agentes da universidade contribuam para que o estudante universalista compreenda mais amplamente a história e a realidade socioeconômica e racial do país. É mister eliminar o risco de as cotas raciais gerarem o "efeito de poder" (Popkewitz, 2001), ou seja, de aumentarem ainda mais a marginalização dos negros em vez de ajudarem na redistribuição de renda e de justiça social.

Os dados indicam a necessidade de a comunidade acadêmica oferecer aos cotistas apoio psicossocial para que lidem com os preconceitos e os enfrentem; algumas experiências de identidade radical podem ser fortes requisitos para o fomento da violência e da "tolerância zero". Sustentamos ainda a importância de desenvolver métodos socioterapêuticos que visem flexibilizar as experiências identitárias e trabalhos com diversos grupos no sentido de desenvolver a convivência com as diferenças e o diálogo empático. Segundo Malaquias (2007), o psicodrama e o sociodrama são métodos que contribuem para a diminuição do racismo no país. Esses trabalhos das relações humanas contribuem para que a inclusão sociorracial de fato ocorra.

## CONTRIBUIÇÃO DA SOCIONOMIA E DO SOCIODRAMA NA PESQUISA

A socionomia, com sua teoria dos grupos e o estudo da articulação entre o indivíduo e a sociedade, contribui para o atual paradigma da epistemologia qualitativa. Trata-se do conhecimento que articula as dimensões psíquicas, sociais e de ação do ser humano. Demo (1998) aponta o desafio dessas pesquisas, que tentam equilibrar o conteúdo e a forma, às quais acrescentamos o estudo da afetividade e o espaço ao imaginário dos sujeitos.

A socionomia promove também uma pesquisa interventiva, pois, na medida em que se conhece o fenômeno, o pesquisador (treinado nos métodos de ação) nele intervém, contribuindo para a recriação das relações presentes.

Dentre os vários métodos que a socionomia propõe para tratar e estudar os grupos, o sociodrama é um excelente instrumento de coleta de dados para a pesquisa social e de intervenção social (Nery, Conceição e Costa, 2006).

No sociodrama, o protagonista (indivíduo ou grupo) tem voz e ação, pois ele representa o drama coletivo (Moreno, 1974). Em nossa pesquisa, o protagonista, com seu sofrimento, nos ajudou a refazer, com os membros do grupo, uma parte dos privilégios de uma elite, por meio da ampliação da consciência social, racial, histórica e da distribuição de poder.

A sociatria moreniana se efetiva quando se conjuga com a ampliação da consciência crítica e da capacidade organizativa no sentido da construção da cidadania emancipada da população brasileira apregoada por Freire (1976) e Demo (2003).

Bobbio (1997) afirma que as minorias na sociedade capitalista necessitam de políticas efetivamente igualitárias. Tais políticas são uma luta de cunho ético: é necessária a diferenciação no tratamento das minorias. Estas são os grupos sociais alijados de diversos tipos de bens materiais e imateriais da sociedade, devido aos preconceitos e às discriminações vividos. A minoria sofre em relação ao abuso do poder de grupos privilegiados; esse abuso surge na forma de diversos artifícios e requisitos (Foucault, 2002).

As universidades concluíram que negras e negros no Brasil necessitam de políticas que lhes assegurem o ataque às discriminações sofridas e às desvantagens em relação aos bens sociais e lhes proporcionem uma justiça equitativa, independentemente de classe social.

Muito já se realizou no Brasil e no mundo com as políticas focais de identidade (Andrews, 1997; Macconahay,1986), incluindo as cotas para mulheres ingressarem na política e em cargos de alto escalão dos governo, além de benefícios sociais para idosos e as políticas afirmativas para os deficientes físicos e para os negros.

Essas políticas demonstram que as transformações sociais são possíveis com menos sofrimentos ou sem violência, a partir de sua implementação com muito preparo e argumento. A política afirmativa por si só tem o caráter pedagógico e de intervenção social, quando passamos a enxergar o que estava invisível e a falar do que não era falado na sociedade, proporcionando a justiça distributiva e equitativa (Gomes, 2001).

Porém, a política afirmativa precisa de outros agentes que contribuam para efetivar seus propósitos no âmbito direto das relações humanas. Nesse sentido, a ação política nos faz retomar o nascimento da prática sociátrica, capaz de promover o encontro que renova o grito do confronto e da incansável luta por um mundo melhor.

## REFERÊNCIAS

ANDREWS, George R. "Ação afirmativa: um modelo para o Brasil?" In: SOUZA, Jessé (org.). *Multiculturalismo e racismo: uma comparação Brasil-Estados Unidos.* Brasília: Paralelo 15, 1997, p. 13-1717.

AZEVEDO, Célia Maria M. *Antirracismo e seus paradoxos: reflexões sobre cota racial, raça e racismo.* São Paulo: Annablume, 2004.

BELCHIOR, Ernandes. *Não deixando a cor passar em branco: o processo de implementação de cotas para estudantes negros na Universidade de Brasília.* Dissertação (mestrado em Sociologia) – Universidade de Brasília, Brasília (DF), 2006.

BOBBIO, Norberto. *Igualdade e liberdade.* 2. ed.. Rio de Janeiro: Ediouro, 1997.

CARONE, Iray; BENTO, Maria Aparecida S. (orgs.). *Psicologia social do racismo: estudos sobre a branquitude e branqueamento no Brasil.* Petrópolis: Vozes, 2002.

CARVALHO, José Jorge. "As ações afirmativas como resposta ao racismo acadêmico e seu impacto nas ciências sociais brasileiras". *Teoria & Pesquisa: Revista de Ciência Política*, n. 42-43, jan.-jul. 2003. Disponível em: <http://www.unb.br/ics/dan/serie_antro.htm>. Acesso em: 14 nov. 2005.

DEMO, Pedro. "Pesquisa qualitativa: busca de equilíbrio entre forma e conteúdo". *Revista Latino-Americana de Enfermagem*, v. 6, n. 2, 1998, p. 89-104.

traço contínuo. *Pobreza da pobreza.* Petrópolis: Vozes, 2003.

ELIZONDO, Evellyn; CROSBY, Faye. "Attitudes toward affirmative action as a function of the strength of ethnic identity among Latino college students". *Journal of Applied Social Psychology*, v. 34, n. 9, jul. 2006, p. 1.773-96.

FERNANDES, Florestan. *O negro no mundo dos brancos.* São Paulo: Difel, 1972.

FOUCAULT, Michel. *Microfísica do poder.* 17. ed.. Rio de Janeiro: Graal, 2002.

FREIRE, Paulo. *Ação cultural para a liberdade e outros escritos*. Rio de Janeiro: Paz e Terra, 1976.
GOMES, Joaquim B. B. *Ação afirmativa e princípio constitucional da igualdade: o direito como instrumento de transformação social*. Rio de Janeiro: Renovar, 2001.
GONZÁLEZ-REY, Fernando Luis. *Pesquisa qualitativa em psicologia: caminhos e desafios*. São Paulo: Pioneira Thomson Learning, 2002.
GUIMARÃES, Antônio Sérgio A. *Classes, raça e democracia*. São Paulo: 34, 2002.
INSTITUTO BRASILEIRO DE GEOGRAFIA E ESTATÍSTICA. *Sistema de dados agregados, características gerais da população*. Disponível em: <http://www.ibge.gov.br/>. Acesso em: 10 out. 2014.
MACCONAHAY, John B. "Modern racism, ambivalence, and the modern racism scale". In: DOVIDIO, John F.; GAERTNER, Samuel L. (orgs.). *Prejudice, discrimination, and racism*. San Diego: Academic Press, 1986, p. 91-125.
MALAQUIAS, Maria Célia. "Percurso do psicodrama no Brasil: década de 1940 – O pioneirismo de Guerreiro Ramos". *Revista Brasileira de Psicodrama*, v. 15, n. 1, 2007, p. 33-39.
MARX, Karl. *O capital*. Rio de Janeiro: Civilização Brasileira, 2005.
MORENO, Jacob L. *Psicoterapia de grupo e psicodrama: introdução à teoria e à práxis*. São Paulo: Mestre Jou, 1974.
_____. *Who shall survive? Foundations of sociometry, group psychotherapy and sociodrama*. Nova York: Beacon House, 1978.
NAFFAH NETO, Alfredo. *Psicodrama: descolonizando o imaginário*. São Paulo: Brasiliense, 1979.
NERY, Maria da Penha. *Vínculo e afetividade*. São Paulo: Ágora, 2003.
_____. *Grupos e intervenção em conflitos*. São Paulo: Ágora, 2012.
NERY, Maria da Penha; CONCEIÇÃO, Maria Inês G. "Política racial afirmativa e afetividade na interação intergrupal". *Interação em Psicologia*, v. 10, n. 2, 2006, p. 363-74. Disponível em: <http://calvados.c3sl.ufpr.br/ojs2/index.php/psicologia/article/view/7695/5487>. Acesso em: 20 mai. 2007.
NERY, Maria da Penha; CONCEIÇÃO, Maria Inês G.; COSTA, Liana F. "O sociodrama como método de pesquisa qualitativa". *Paideia – Cadernos de Psicologia e Educação*, v. 16, n. 35, dez. 2006, p. 305-14.
NOGUEIRA, Oracy. "Preconceito racial de marca e preconceito racial de origem: sugestão de um quadro de referência para a interpretação do material sobre relações raciais no Brasil". In: NOGUEIRA, Oracy (org.). *Tanto preto quanto branco: estudos de relações raciais*. São Paulo: T.A. Queiroz, 1985, p. 48-59.
POPKEWITZ, Thomas S. *Lutando em defesa da alma: a política do ensino e a construção do professor*. Porto Alegre: Artmed, 2001.
QUEIROZ, Delcele M. (org.). *O negro na universidade*. Salvador: Novos Toques, 2002.
SANTOS, Sales Augusto dos. *Movimentos sociais negros, ações afirmativas e educação*. Tese (doutorado em Sociologia) – Universidade de Brasília, Brasília, (DF), 2007.

# 10. Desculpas interculturais: será possível reparar erros do passado no presente?

*Rosa Cukier*

No XX Congresso Brasileiro de Psicodrama, realizado em 2016, com o auxílio das egos-auxiliares Maria Célia Malaquias e Cristine Georgette Massoni, dirigi um sociodrama grupal com o título "Dor étnica: orgulho, vingança e reparação". Foi um trabalho intenso, que utilizou, como técnicas centrais, o psicodrama interno e o compartilhar grupal.

Temas como distúrbios étnicos, narcisismo (Cukier, 1998), narcisismo grupal (Cukier, 2001), racismo (Malaquias, 2017), vergonha, vingança e reparação já constavam das preocupações teóricas das psicodramatistas.

Nesse sociodrama busquei, por meio de consignas muito estruturadas, as alianças grupais dos participantes, suas primeiras "tribos" e os sentimentos, emoções, legados positivos ou negativos dessa pertinência.

Várias consignas estimulavam a identificação de sentimentos de orgulho. Por exemplo: quais aprendizados valiosos cada participante carregava consigo até hoje, advindos dessa primeira inserção social. Outras propunham a rememoração de cenas de vergonha, nas quais o mesmo grupo primário havia sido ofendido ou ofensivo com outro grupo ou outrem.

Ao final do trabalho, solicitei que os participantes escrevessem pedidos de desculpas, tanto as que gostariam de ter ouvido em relação ao seu grupo como aquelas que achavam que seu grupo deveria pedir a outros.

E foi aí que me surpreendi – e é onde este novo trabalho começa. Registrei cerca de 50 pedidos de desculpas, sobre os mais diferentes temas: famílias pedindo desculpas a outras famílias, pais a filhos, nacionalidades a outras nacionalidades, adultos a crianças, ricos a pobres, times de futebol, religiões entre si etc.

A intensa carga de emoção expressa em tais pedidos de desculpas me fez indagar se eles seriam efetivos numa mudança de atitude dos participantes desse *workshop*. Na realidade, resolvi investigar a literatura especializada sobre o tema das desculpas, tanto no âmbito individual quanto grupal, e como seria possível instrumentalizar esse conhecimento em futuros sociodramas.

## O QUE É PEDIR DESCULPAS?

Segundo Tavuchis (1991, p. 27), um pedido de desculpas é uma fala que busca o perdão por algum erro cometido, reparando injustiças e restaurando a dignidade da parte ofendida.

Desde crianças somos ensinados por pais e professores a pedir e a aceitar desculpas, uma vez que nós, seres humanos, somos falíveis e precisamos consertar erros relacionais. A não aceitação de uma desculpa transforma, ironicamente, a vítima no transgressor, porque ela evita que tais reparações sejam feitas.

Existem diferentes categorias de desculpas: entre indivíduos (um amigo que foi injusto com outro); entre indivíduos e grupos (um executivo pede desculpas por um acidente numa usina), entre grupos (um time de futebol pede desculpas ao outro pela violência da sua torcida); desculpas nacionais (o governo australiano para seus aborígenes, por ter-lhes roubado a terra); internacionais (a Bélgica pede desculpas pelo genocídio que promoveu em Ruanda em 1994); diplomáticas (as desculpas da China ao Japão por apreender o navio a vapor japonês Tatsu Maru em 1908); e históricas (por crimes contra a humanidade, como a Alemanha em 1990 aos judeus, pelo Holocausto).

Talvez em psicologia pudéssemos acrescentar as desculpas intrapsíquicas, nas quais a própria pessoa se desculpa por algo errado que tenha feito a si mesma, à própria vida.

## O SURGIMENTO DE UMA ERA DE DESCULPAS

Parece ter havido um modismo internacional nos últimos anos do século passado, com vários pedidos de desculpas sucessivos. Segundo

Lazare (2004), foram publicados, de 1990 a 1994, 1.193 artigos que continham as palavras "desculpas" ou "pedir desculpas".

Em 1970, o chanceler alemão Willy Brandt ajoelhou-se diante de um memorial para lembrar as vítimas do Holocausto, simbolizando o reconhecimento dos erros do passado e o desejo de reconciliação entre alemães e judeus. Celermajer (2006, p. 17), apropriadamente, aponta que, a partir desse momento, "a moralidade começa a se tornar uma força política".

Durante os anos 1980 e 1990, o papa João Paulo II pediu desculpas por nada menos do que 94 coisas, dentre elas: pelas Cruzadas e Inquisição, pelo obscurantismo científico da Igreja, pelo tratamento dispensado a Galileu, pela opressão das mulheres e pelo silêncio da Igreja durante o Holocausto. Foram pedidos de preparação para o novo milênio, pois o pontífice acreditava que não se pode curar o presente sem fazer reparações pelo passado.

A Tabela 1 a seguir resume alguns pedidos de desculpas diplomáticas e históricas.

**Tabela 1** – Exemplos de pedidos de desculpas diplomáticas e históricas

| Injustiça | Quem pediu desculpas | Descrição da injustiça |
|---|---|---|
| Ajuda aos nazistas em Vichy | Jacques Chirac (1995) | O presidente francês pediu desculpas pela ajuda que o governo de Vichy deu aos nazistas na deportação de judeus franceses para campos de extermínio. |
| Revolução Bolchevique | Boris Yeltsin (1997) | Yeltsin pediu desculpas pelos erros da Revolução Bolchevique no seu 80º aniversário. |
| Estudo de sífilis de Tuskegee, AL | Bill Clinton (1997) | Em 1932, o Serviço de Saúde Pública dos Estados Unidos iniciou um estudo no interior do Alabama que durou 40 anos sobre a progressão da sífilis com 600 homens negros, dos quais 399 tinham a doença, mas nunca foram informados disso nem tratados com penicilina. |
| Gerações de aborígenes australianos | John Howard (1999) | Entre 1915 e 1969, aproximadamente 100 mil crianças aborígenes australianas foram removidas de suas famílias pelo governo e pela igreja e internadas em orfanatos, para adoção. Elas foram proibidas de falar sua língua, receberam pouca educação e viveram em condições precárias. Abusos físicos e sexuais eram comuns. |

# Maria Célia Malaquias (org.)

| | | |
|---|---|---|
| Cobrança de taxas e exclusão de chineses no Canadá | Stephen Harper (2006) | Em 1885, o governo canadense cobrava um imposto exorbitante para evitar que chineses emigrassem para o Canadá. O imposto de US$ 50 foi aumentado para US$ 500, o equivalente a dois anos de salários. Por fim, um ato de exclusão impediu que qualquer chinês entrasse no Canadá entre 1923 e 1947. |
| Papel britânico no comércio de escravos | Tony Blair (2006) | Entre 1660 e 1807, mais de três milhões de africanos foram enviados para as Américas em navios britânicos. Muitos morreram durante a captura e o transporte. |
| Internamento dos japoneses americanos | Presidentes e Congresso americano (1988, 1991 e 1993) | O Congresso americano (1988) e os presidentes George Bush (1991) e Bill Clinton (1993) pediram desculpas públicas pelo fato de 110 mil japoneses étnicos (62% eram cidadãos americanos) terem sido internados em 1942 em guetos, com habitação, vestuário e comida insalubres. Muitos sofreram perda significativa de propriedades. |
| Internamento dos japoneses canadenses | Brian Mulroney (1988) | Em 1942, 22 mil canadenses japoneses (59% cidadãos canadenses) foram expulsos de suas casas na Colúmbia Britânica (BC) e internados em más condições, perdendo suas propriedades e obrigados a deixar o Canadá. |
| Anexação do Havaí | Congresso americano (1993) | Em 1893, as forças navais dos Estados Unidos invadiram a soberana nação havaiana, tomaram os edifícios governamentais, desarmaram a Guarda Real e declararam um governo provisório. Em 1898, o Congresso dos Estados Unidos aprovou uma resolução conjunta da anexação do Havaí ao território americano. |
| Prostituição de mulheres coreanas e chinesas | Tomichii Murayama (1995) | O primeiro-ministro japonês Tomichii Murayama pediu desculpas públicas pelo fato de, durante a Segunda Guerra Mundial, cerca de 200 mil mulheres coreanas e chinesas terem sido sequestradas de suas casas pelo Japão e colocadas em bordéis para ser usadas como escravas sexuais pelo Exército japonês. |
| Crime japonês da Segunda Guerra Mundial | Tomichii Murayama (1995) | O mesmo primeiro-ministro do Japão pediu desculpas pelo assassinato de 6 a 10 milhões de civis do Leste Asiático nas décadas de 1930 e 1940 por militares japoneses. |
| Apreensão de terras maori | Rainha Elizabeth II (1995) | Com a Lei de Liquidação da Nova Zelândia de 1863, mais de um milhão de hectares de terra maori foi confiscada. Os maoris resistiram ao confisco e muitos morreram na luta que se seguiu. |
| *Apartheid* | Frederik Willem de Klerk (1997) | Em 1948, o Partido Nacional Africano implementou a segregação racial no Sul da África. Negros perderam direito ao voto e à cidadania sul-africana, foram obrigados a frequentar praias, ônibus, hospitais e escolas segregados e a transportar documentos de identidade para prevenir migrações e visitas a áreas "brancas". |

Os acadêmicos, incluindo sociólogos, cientistas políticos e estudiosos dos direitos humanos, têm tentado compreender o fenômeno da desculpa e da reconciliação através de perspectivas políticas, sociais, históricas, religiosas, morais, antropológicas e legais. Por que as desculpas se espalham por toda a comunidade global? Quais são suas repercussões políticas? Elas são eficazes? Em caso afirmativo, que componentes tornam uma desculpa efetiva?

Várias explicações foram dadas para essa alta incidência de desculpas, inclusive o surgimento do liberalismo nas sociedades democráticas e as revoluções socialistas que promoveram os direitos humanos com ênfase na paz e na cooperação, em vez de nos conflitos.

Países que se reconstruíram após políticas ditatoriais e repressoras usaram "desculpas" como forma de facilitar a cura coletiva da nação e de suavizar a transição para uma nova forma de governar. Era preciso promover a cooperação, a paz, a fé no dever moral universal, e isso só podia ser feito com a aceitação da responsabilidade pelas injustiças passadas e recentes.

Lazare (2004, p. 16) sugere também que houve uma mudança no equilíbrio de poder, fazendo que grupos outrora impotentes começassem a reivindicar seus direitos, lembrando desigualdades e iniquidades do passado. A própria Declaração Universal dos Direitos Humanos das Nações Unidas, elaborada em 1948, impactou essa promoção de remendos nos erros do passado, na medida em que exige que os países das Nações Unidas promovam o respeito universal aos direitos humanos e às liberdades fundamentais em relação a raça, sexo, língua e religião.

Outra possível explicação é a globalização da informação por meio de nossas potentes mídias, que tornam impossível que abusos políticos, internacionais e até mesmo pessoais permaneçam na obscuridade. É o poder da opinião pública, com um aumento dos grupos de *lobby* em defesa das vítimas e de grupos minoritários. Pedir desculpas muitas vezes é a estratégia usada para voltar a ter acesso à comunidade internacional que retalia o abusador e simpatiza com a vítima.

## CULTURA E PERDÃO

Em cada cultura o pedido de desculpas tem uma forma e um peso moral específicos, existindo até formas sutis de se pedir desculpas sem se desculpar, ou seja, sem assumir a responsabilidade pela dor ou pela humilhação infringida.

No Japão e em todas as culturas mais coletivistas (Carvalho, 2014), manter as relações interpessoais e a comunidade em harmonia é uma prioridade. O ato de se desculpar é considerado uma virtude e significa mais do que arrependimento ou uma responsabilidade coletiva. Trata-se de uma cortesia para todos quando determinada pessoa admite seu erro publicamente e se responsabiliza por ele, quase uma forma de limpar toda a comunidade de atos semelhantes que possam surgir no futuro. Um exemplo aqui seria o pedido de desculpas da estrela pop japonesa Minami Minegishi. Após revelações de que ela teria passado a noite com seu namorado, ela apareceu em um vídeo postado no portal YouTube, com a cabeça raspada, implorando ao público o perdão, em um ato de contrição tradicional.

Já nos Estados Unidos e na Europa, onde o individualismo é mais acentuado, os erros são vistos como déficits individuais, redundando em culpa e demandando, muitas vezes, atos de reparação. Muitas empresas não pedem desculpas pelos seus erros, para evitar ser dilapidadas pelos pedidos de indenização.

Por outro lado, extremamente comovedor foi o ato de Willy Brandt, ex-chanceler alemão que em 1970, diante do memorial às vítimas do Holocausto em Varsóvia, ficou de joelhos, silencioso e de cabeça baixa por cerca de 30 segundos. Ele confessou, depois, que o ato fora totalmente espontâneo, pois lhe faltavam as palavras para dizer quanto lamentava toda a dor causada pelos erros de guerra alemães.

Na China, a comunicação é frequentemente indireta e sutil. Quando um chefe quer dar uma reprimenda em determinado funcionário, por exemplo, provavelmente o chamará para uma conversa privada, pedirá desculpas por estar lhe dizendo algo desagradável e fará a crítica. O pedido de desculpas, no caso, é uma forma de avisar que algo desagradável está por vir. Se alguém pedir desculpas a um chinês em público pode ofendê-lo, pelo excesso de constrangimento presente na cena.

Não há dúvidas de que em todas as culturas é importante pedir desculpas, mas, quando isso é feito entre culturas diferentes, é preciso levar em conta as distintas convenções sociais, sensibilidades e tradições políticas, além dos diferentes idiomas.

**O NÃO PEDIDO DE DESCULPAS**

Muitos pedidos de desculpas são gestos vazios, expressão de arrependimento ou mera oferta de empatia, uma espécie de ato político para evitar litígio ou retaliações. Exemplo: "Lamento que você tenha se ofendido por algo que eu disse". Note-se que não há nenhum sinal de reconhecimento de que algo errado foi feito, apenas que o outro é sensível, talvez até sensível demais.

Lauren Bloom, autora do livro *The art of apology* (2014), relata um formato de pedido de desculpas condicional que, na realidade, é uma desculpa escorregadia ou uma não desculpa, pois ninguém se responsabiliza por nada. Por exemplo: "Se eu fiz alguma coisa errada, peço desculpas", ou "Se o que eu disse ofendeu alguém…", entre outros. Nesses exemplos sarcásticos existe uma arte de falar sem falar e, eventualmente, de falar o contrário, a fim de conseguir ser perdoado sem aceitar nenhuma culpa.

Parte desse questionamento sobre as pseudoescusas é filosófico, pois, em tese, só se pode pedir desculpas por algo que cometemos pessoalmente. Muitos governos e empresas têm adotado uma forma genérica de se desculpar, do tipo: "Lamentamos a todos aqueles que possam ter se sentido prejudicados". Num exemplo concreto, vimos o primeiro-ministro Tony Blair, na véspera do aniversário de 200 anos da proibição da escravidão em navios britânicos, dizer "quão profundamente vergonhoso foi o tráfico de escravos". Também Bill Clinton incorre nesse não pedido pessoal quando, na África, pede desculpas pela inação do mundo todo durante o genocídio em Ruanda.

Pedir desculpas pela nação ou por todos os seres humanos é diferente de pedir desculpas por si mesmo, uma vez que a responsabilidade e a culpa ficam diluídas no tempo e no número de pessoas envolvidas.

Outra forma semântica travestida de remorso ou de arrependimento é a voz passiva abstrata, que não identifica autores e ninguém assume a responsabilidade: "erros foram cometidos" (no passado ou no presente).

Pedir falsas desculpas traz benefícios relativos às vítimas, uma vez que atende à necessidade básica do ser humano de ter emoções desagradáveis reconhecidas. Quanto aos infratores, os benefícios secundários são claros:

- mudam a forma como os outros os percebem;
- mantêm os relacionamentos que de outra forma seriam prejudicados;
- evitam litígio e/ou indenizações por negligência;
- amenizam uma aparente ofensa ou impedem a sua repetição, como quando uma companhia aérea pede desculpas por um atraso.

Os negociadores muitas vezes usam essa tática para acalmar situações tensas: um pedido de desculpas pode desarmar as emoções mesmo quando não se reconhece responsabilidade pessoal na ação ou não se admite uma intenção de prejudicar.

Oscar Wilde, em seu clássico *O retrato de Dorian Gray* (1890), com sua inteligência mordaz, bem apontou: "Há um luxo na autor-reprovação. Quando nos culpamos, sentimos que ninguém mais tem o direito de nos culpar. É a confissão, não o sacerdote, que nos dá a absolvição".

### EFICÁCIA DAS DESCULPAS (PESSOAIS, DIPLOMÁTICAS E HISTÓRICAS)

Avaliar um pedido de desculpas não é tarefa fácil. Nas relações interpessoais, nunca saberemos *a priori* como a outra pessoa vai responder, além de expor nossa vulnerabilidade e nos forçar a uma posição de humildade. Muitas pessoas respondem bem ao pedido de desculpas e também ficam vulneráveis, permitindo e até melhorando a relação interpessoal; outras, porém, podem se sentir orgulhosas e aproveitar o momento para triunfar de forma arrogante.

Inúmeros meses e até anos podem se passar antes que um pedido de desculpas resulte numa retomada da relação, e por vezes isso não acontece, pois pedir desculpas e ser perdoado são ações independentes. A pessoa pode ser perdoada, mas a relação jamais ser retomada, por perda de intimidade e confiança seguras.

Se, porém, corremos riscos e não temos garantias em relação à reação do outro, pedir desculpas traz muitos benefícios a nós mesmos. Reconhecer os próprios erros é se fortalecer, é crescer como ser humano, estabelecendo metas de honestidade e dignidade. Reconhecendo o erro não incorremos no perigo de repeti-lo nem de perpetuá-lo, tiramos o peso da culpa da contraparte, damos exemplos para as futuras gerações de como a justiça pode ser feita e, com sorte, não perdemos relações importantes (Lerner, 1989; 2017).

Pois bem, se nem no nível interpessoal é simples avaliar a eficácia dos pedidos de desculpas, como analisar situações de conflito que envolvem povos diferentes, raças diferentes e até tempos diferentes, como no caso das desculpas diplomáticas ou históricas?

Testes empíricos e quantitativos estudam essa questão com resultados pouco claros. A maior parte deles foca numa amostragem da população lesada ou em testes laboratoriais que simulam situações em que injustiças são cometidas, coletando os efeitos dos pedidos de desculpas. Já trabalhos como o de Lewicki (2016) focam na forma linguística e comportamental do pedido de desculpas, listando critérios para que um pedido seja mais bem-aceito do que outro.

Bobowik *et al.* (2017) estudaram, por exemplo, sistematicamente, os efeitos de pedidos de desculpas dos governos pós-ditatura militar em três países da América Latina: Chile, Argentina e Paraguai. Concluíram que apenas no Chile eles não foram efetivos, pois lá parte da amostragem mais jovem mostrava-se cética, crítica e sem confiança institucional. Nos outros dois países as desculpas desempenharam um papel de sucesso em contextos de transição, reforçando a confiança e segurança nas instituições.

De forma geral esses autores sugerem que as comissões de justiça e reconciliação são bem-sucedidas como agentes da justiça e facilitadores da transição, reforçando a reconciliação.

Steele e Blatz (2014) estudaram o efeito do pedido de desculpas emocional do então Presidente Clinton a afro-americanos que participaram de uma pesquisa longitudinal sobre sífilis nos Estados Unidos (ver Tabela 1). Concluíram que nem mesmo as desculpas mais elaboradas redundaram em perdão e confiança, conseguindo, no máximo, maiores percepções de remorso e normas de justiça.

Alongi (2011) sugere que, se uma organização violar um contrato psicológico e desejar reparar o relacionamento com a vítima, ela deve se concentrar em oferecer reparações adequadas, pois apenas um pedido de desculpas não aumenta o senso de poder da vítima nem diminui seu desejo de vingança.

A propósito das desculpas históricas por crimes cometidos contra a humanidade, há na literatura certa ênfase no elemento afetivo, destacando a sinceridade com que são feitas, os sentimentos de autorreprovação (culpa, vergonha, tristeza) que são expressos e a compensação material para as vítimas. A Alemanha parece ter sido muito mais bem-sucedida na sua forma de pedir desculpas aos judeus pelo Holocausto do que o Japão pelos seus crimes de guerra.

Pedidos de desculpas formais feitos em nome de uma nação correm o risco de desencadear direitos de reparação monetária. A escravidão de negros africanos é o melhor exemplo desse temor, pois o continente nunca recebeu desculpas claras das grandes nações do mundo. Em 1994, Bill Clinton, em uma visita à África, chegou perto disso, reconhecendo que os Estados Unidos nem sempre agiram corretamente com os descendentes africanos. Em 2001, a Inglaterra foi acusada de impedir que a União Europeia fizesse um pedido de desculpas pelo comércio transatlântico de escravos.

Entre nós, brasileiros, o sistema de cotas universitárias em processos seletivos para ensino superior foi regulamentado pela Lei n. 12.711/2011, regulando o acesso de estudantes da rede pública em instituições de ensino superior federais, com separação de vagas para candidatos de baixa renda, negros e índios. Além disso, promove diversas políticas públicas para afrodescendentes, visando à criação de oportunidades e à igualdade racial. Conta com 65 artigos, sendo o fator abordado mais importante a inclusão das comunidades negras em diversos programas e vertentes da sociedade.

Mas até mesmo esse ato reparatório levanta questionamentos e protestos. Nos Estados Unidos, um sistema semelhante foi instaurado em 1960 e abolido em 2007 pela Suprema Corte, com o pressuposto de que as cotas em nada contribuem para a igualdade das raças.

No Brasil, a inconstitucionalidade da lei, a maquiagem na educação e o reforço do preconceito nas universidades são os argumentos mais usados por quem é contra as cotas. O historiador e escritor João José Reis, franco defensor da Lei das Cotas, assim se expressou na XV Festa Literária Internacional de Paraty (Flip): "[As cotas em universidade federais *são*] uma migalha diante da exploração a que foi submetida a África durante o tráfico negreiro. É uma mão que se estende ao continente africano, mas é uma coisa quase que ridícula diante do orçamento nacional" (Muraro, 2017).

Resumindo, e para concluir este tópico, há argumentos contra e a favor da prática de desculpas históricas. Entre os argumentos contrários, destacamos:

- não se pode julgar a culpa moral do passado pelos padrões do presente;
- os mortos não podem responder nem negar o pedido de desculpas;
- muitos políticos usam desculpas sobre o passado como salvo-conduto para não agir no presente;
- qualquer povo que pesquisar seu passado vai encontrar momentos em que foi vítima e outros em que foi o agressor. Melhor olhar o futuro e fazer justiça daqui para a frente.

Quanto aos argumentos a favor, os mais relevantes são aqueles que encaram a história da humanidade como um processo em constante mudança, mas com memória e moral. Abrir feridas do passado reconhecendo erros cometidos é apenas um primeiro passo de cura pública, que pode começar com palavras e terminar em ações. É um ato simbólico, um marco com efeitos poderosos, havendo ou não reparação material.

Porém, seu funcionamento não é mágico, diz Marrus (2006). A dor por danos causados e por vidas perdidas em guerras e genocídios não pode ser calada por palavras fortes, nem por dinheiro nenhum. Desculpas não podem desfazer o que foi feito, mas são preferíveis ao silêncio sombrio e rancoroso, pleno de culpa por um lado e desejo de vingança por outro. Ainda que sejam rejeitadas, as desculpas:

- possibilitam o reconhecimento das irregularidades;
- validam reivindicações das vítimas;
- certificam a responsabilidade;
- incentivam o diálogo e a reconciliação;
- reforçam normas positivas, promovendo o repensar de direitos e deveres, ajudando a solidificar um consenso em direitos humanos;
- são a única maneira de limpar o passado para que se possa sonhar com um futuro melhor e aliviar a herança de ódio e de culpa que se deixa para futuras gerações.

## O QUE TORNA UM PEDIDO DE DESCULPAS EFICIENTE?

Nem todo pedido de desculpas é eficiente. Muitos não contêm nenhuma genuinidade nem reconhecimento do erro cometido, como as não desculpas que citamos em tópico anterior. Os clássicos "Lamento que você tenha se ofendido" ou "Lamento que você tenha me entendido errado" são exemplos desse tipo de pedido que agride duplamente a vítima: pela ofensa em primeiro lugar e, em segundo, por ter sido insuficientemente esperta para discernir o verdadeiro significado do que foi dito.

A pesquisa sobre desculpas interpessoais e históricas de Blatz, Schumann e Ross (2009) sugere que uma desculpa abrangente deveria conter até seis elementos distintos, mas que se complementam:

1. remorso (por exemplo, "Desculpe-me");
2. aceitação de responsabilidade (por exemplo, "É minha culpa");
3. admissão de injustiça ou de comportamento errado (por exemplo, "O que eu fiz estava errado");

4. reconhecimento de danos e/ou sofrimento das vítimas (por exemplo, "Eu sei que você está chateado");
5. promessa de agir melhor no futuro (por exemplo, "Não farei isso novamente");
6. oferta de reparação (por exemplo, "Eu pagarei pelos danos").

Cada um desses elementos atende a importantes necessidades psicológicas, pois indica que o agressor se preocupa com o bem-estar das vítimas, reconhece seu sofrimento, absolve-as de qualquer culpa, está empenhado em defender um sistema social legítimo e justo e em reparar com dinheiro ou com o cumprimento da lei os erros do passado.

No caso de desculpas governamentais por crimes contra a humanidade, outros itens podem ser agregados visando reparar, emocionalmente, o narcisismo grupal (Cukier, 2001) da maioria jovem, que não participou dos fatos relatados, e da minoria vitimizada:

- abordar a baixa consideração social da minoria vitimizada, enfatizando as contribuições importantes e únicas deste grupo para a sociedade como um todo – esses elogios visam confirmar qualidades positivas e demonstrar que as vítimas são valorizadas;
- ressaltar que os membros atuais da maioria são irrepreensíveis (pois não eram vivos na época em que os erros foram cometidos), minimizando resistências ao pedido de desculpas – trata-se de elogiar o atual sistema de funcionamento social;
- salientar as diferenças marcantes entre o governo atual e o anterior, distanciando e condenando as ações passadas e ressaltando a atual visão diferenciada e progressista.

Lewicki, Polin e Lountewian (2016), da Universidade de Ohio, com uma amostragem de 755 participantes, conseguiram resultados semelhantes, concluindo que um pedido de desculpas é tanto mais efetivo quanto maior for o número de elementos que agregar:

- expressão de arrependimento;

- explicação do que foi feito errado;
- reconhecimento de responsabilidade;
- declaração de arrependimento;
- oferta de reparação;
- pedido de perdão.

## CONCLUSÃO: O PSICOSOCIODRAMA PODE AJUDAR?

Como vimos, esse tema é maior do que eu supunha ao deparar com ele no meio de um sociodrama. Será que nós, psicodramatistas, sociodramatistas, podemos ajudar? Será que o fato de terem pedido desculpas num sociodrama modificou algo nos participantes do nosso *workshop*?

Sabemos que erros cometidos no passado por nós ou contra nós, por nossa família ou contra nossa família, permanecem como "negócios inacabados" na sociedade e no nosso psiquismo. Existe um dano transgeracional, uma vez que o impacto de traumas severos se transmite para sucessivas gerações (Schützenberger, 1997). Compartilhar nossas feridas herdadas, nossas lealdades invisíveis (Nagy, 1983) e perceber o reflexo dessas questões em nossa conduta adulta atual pode, sim, ser muito benéfico.

Quanto à eficácia do sociodrama nessa questão, teremos de continuar pesquisando. Cada sociodrama terminado sempre abre a perspectiva de novos sociodramas. Por isso, quero concluir este artigo prospectando a direção que futuros sociodramas poderiam tomar para continuar agregando conhecimento a esta questão:

- Transformar cada pedido de perdão numa vinheta a ser psicodramatizada, na qual as várias partes do conflito ganhariam voz.
- Categorizar as dores listadas num próximo sociodrama, dando origem a pequenos grupos: grupos das dores pessoais, grupo das dores familiares, grupo das dores culturais e/ou históricas, grupo das dores religiosas etc. Uma multiplicação dramática mostraria as diferentes ressonâncias de cada conflito exposto e talvez surgissem propostas de novos papéis, mediações etc.
- Começar um sociodrama pedindo a todos que ouçam o pedido de desculpas que mais gostariam de ouvir na vida. A partir daí

poderíamos compartilhar em grupo, criar imagens das sensações produzidas e, por meio de escolhas sociométricas, trabalhar com algumas imagens. Ou, ainda, pedir que nos ofertassem esses pedidos de desculpas, para que o grupo os encenasse livremente, com a direção do autor.

- Ou, ao contrário, começar um sociodrama com os pedidos de desculpas que os participantes gostariam de ter a coragem de fazer. Várias cenas poderiam ser protagonizadas a partir daí.
- Trabalhar com nossa própria instituição de psicodrama e ver que pedidos de desculpas deveriam ser emitidos.
- Trabalhar com o oferecimento ou a recusa do perdão, elencando as exigências que faríamos para retomar relações difíceis.
- Dividir o grupo ao meio: metade jogaria o papel do agressor e metade, o da vítima. Após algum tempo de interação e jogo livre, pediríamos que invertessem os papéis. Em seguida, proporíamos um caminhar introspectivo, para que cada um pensasse na própria vida e nos reflexos que o jogo agressor-vítima deixa em si.

## REFERÊNCIAS

BLATZ, Craig W.; SCHUMANN, Karina; ROSS, Michael. "Government apologies for historical injustices". *Political Psychology*, v. 30, n. 2, 2009.

BLOOM, Lauren M. *The art of apology: how, when, and why to give and accept apologies*. Nova York: Fine & Kahn, 2014.

BOSZORMENYI-NAGY, Ivan; SPARK, Geraldine M. *Lealtades invisibles: reciprocidad en terapia familiar intergeneracional*. Buenos Aires: Amorrortu, 2013.

CARVALHO, Lilian S. P. "Coletivismo itálico individualismo". Blog Psicologia Evolucionista Aplicada, 2014. Disponível em: <http://psicologiaevoaplicada.blogspot.com.br/2014/06/coletivismo-versus-individualismo.html>. Acesso em: 4 dez. 2019.

CELERMAJER, Danielle. "The apology in Australia: re-covenanting the national imaginary". In: BARKAN, Elazar; KARN, Alexander (orgs.). *Taking wrongs seriously: apologies and reconciliation*. Stanford: Stanford University Press, 2006.

CUKIER, Rosa. "O psicodrama da humanidade. Utopia, será?" In: COSTA, Ronaldo Pamplona (org.). *Um homem à frente de seu tempo: o psicodrama de Moreno no século XXI*. São Paulo: Ágora, 2001, p. 171-89.

DE CREMER, David; SCHOUTEN, Barbara C. "When apologies for injustice matter: the role of respect". *The European Psychologist*, v. 13, n. 4, 2008, p. 239-47.

DE CREMER, David et al. "Explaining unfair offers in ultimatum games and their effects on trust: an experimental approach". *Business Ethics Quarterly*, v. 20, n. 1, jan. 2010, p. 107-26.

LAZARE, Aaron. *On apology*. Oxford: Oxford University Press, 2004.

LERNER, Harriet G. *A ciranda da intimidade: passos concretos para melhorar a qualidade dos relacionamentos pessoais*. São Paulo: Best Seller, 1989.

_____. *Why won't you apologize? Healing big betrayals*. Nova York: Touchstone Books, 2017.

LEWICKI, Roy. "How to apologize, according to science". The Ohio State University, 2016. Disponível em: <https://fisher.osu.edu/news/how-apologize-according-science>.Acesso em: 4 dez. 2019.

LEWICKI, Roy; POLIN, Beth; LOUNT JR., Robert B. "An exploration of the structure of effective apologies". *Negotiation and Conflict Management Research*, v. 9, n. 2, maio 2016.

MALAQUIAS, Maria Célia. "Relações raciais no palco da vida: considerações sociátricas". In: KON, Noemi Moritz; SILVA, Maria Lúcia da; ABUD, Cristiane Curi (orgs.). *O racismo e o negro no Brasil: questões para a psicanálise*. São Paulo: Perspectiva, 2017.

MARRUS, Michael. "Official apologies and the quest for historical justice". *Journal of Human Rights*, Toronto, Munk Centre for International Studies, v. 6, n. 1, 2006.

MURARO, Cauê. "Historiador defende cota racial e critica 'escravidão contemporânea' e reforma trabalhista". G1. 2017. Disponível em: <https://g1.globo.com/pop-arte/flip/2017/noticia/historiador-defende-cota-racial-e-critica-escravidao-contemporanea-e-reforma-trabalhista.ghtml>. Acesso em: 4 dez. 2019.

Schützenberger, Anne Ancelin. *Meus antepassados: vínculos transgeracionais, segredos de família, síndrome de aniversário e prática do genossociograma*. São Paulo: Paulus, 1997.

SIGAL, Janet *et al*. "Factors affecting perceptions of political candidates accused of sexual and financial misconduct". *Political Psychology*, v. 9, n. 2, 1988, p. 273-80.

TAVUCHIS, Nicholas. *Mea culpa: sociology of apology and reconciliation*. Stanford: Stanford University Press, 1991.

TOMLINSON, Edward C.; DINEEN, Brian R.; LEWICKI, Roy. "The road to reconciliation: antecedents of victim willingness to reconcile following a broken promise". *Journal of Management*, v. 30, n. 2, abr. 2004, p. 165-87.

VOLKAN, Van. "Large-group-psychology in its own right: large-group identity and peace-making". *International Journal of Applied Psychoanalytic Studies*, v. 10, n. 3, set. 2013, p. 210-46.

# 11. Abayodrama: criar, recriar, transformar

*Maria Célia Malaquias, Ermelinda Marçal e Adriana Dellagiustina*

Do encontro de Moreno com as bonecas abayomi nasce o que chamamos de abayodrama, uma vivência sociodramática que busca articular a compreensão de mundo e a metodologia psicodramática com elementos da cultura africana, por meio dessas bonecas, que são feitas de pano, só com nós e amarrações (Vieira, 2016).

## O ENCONTRO

Falar desse encontro é também falar de um encantamento e de uma descoberta que possibilitaram a criação deste trabalho, inspirado numa das histórias da boneca abayomi como objeto intermediário e fio condutor de toda a ação. Entendemos aqui o objeto intermediário na perspectiva de Castanho (1995): no psicodrama, trata-se de qualquer objeto que atue como facilitador do contato entre duas ou mais pessoas, intermediando a comunicação de afetos.

Respaldada na metodologia psicodramática, o "fazer a boneca" se amplia para momentos de introspecção, reflexão e ressignificação, possibilitando o encontro com o outro e consigo mesmo.

A descoberta de abayomi aconteceu durante os estudos da obra de Moreno, em que alunas e mestra se encontraram[1], nesses encontros que temos ao longo da vida e que Moreno também chama de tele.

---

[1] Ermelinda Marçal e Adriana Dellagiustina foram alunas de Maria Célia Malaquias na disciplina Fundamentos do Psicodrama, durante o curso de formação em Psicodrama pela Sopsp/PUC-SP.

## AS ABAYOMIS

A palavra "abayomi" vem do iorubá, um dos maiores grupos étnico-linguísticos do continente africano, e significa "encontro precioso", pois *abay* se traduz como "encontro" e *omi*, "precioso". Também tem o significado de "aquele que traz felicidade ou alegria" e pode ser traduzida como "ofereço a você o melhor que tenho em mim" ou "ofereço aquela que traz minhas qualidades" (Vieira, 2016).

As abayomis são feitas de pano, a partir de retalhos, e não têm cola nem costura, somente nós e amarrações. Também não têm demarcações de nariz, olhos ou boca, a fim de simbolizar todas as etnias africanas. Uma das histórias a que tivemos acesso, e que nos foi compartilhada a partir da tradição oral, conta que, durante o período da escravização da população negra que era trazida para o Brasil em "navios negreiros", as mães, para acalentar seus filhos, rasgavam tiras de suas roupas e faziam essas bonequinhas.

Em nossas pesquisas, também encontramos a artesã maranhense Waldilena Martins, mais conhecida como Lena Martins, que mora no Rio de Janeiro desde os 8 anos e foi quem resgatou a arte da boneca abayomi (Langenbach, 2008). Lena traz em sua memória afetiva o contato com tecidos desde a infância, pois sua mãe tinha uma confecção, então desde pequena ela já brincava de fazer bonecas com os retalhos. Em 1987 desenvolveu a primeira boneca negra e, envolvida em algumas militâncias, conheceu um grupo de mulheres do grupo de teatro de rua circense Teatro de Anônimos, com quem criou uma associação sem fins lucrativos: a Cooperativa Abayomi, cujos objetivos eram valorizar a cultura afro-brasileira, fortalecer a autoestima da população negra e contribuir no combate ao racismo. No ano seguinte, o movimento negro se prepararia para uma marcha com o questionamento: "100 anos de abolição?" (Langenbach, 2008). Também acontecia, à época, o Primeiro Encontro de Mulheres Negras em Valença, e é nesse contexto que Lena desenvolve a abayomi e relata que seu encontro com esses movimentos convergiu com a busca de sua identidade.

## PSICODRAMA E ABAYOMIS

Ao longo da descoberta das abayomis, fomos identificando aspectos que faziam ressonância na obra de Moreno e estabelecendo um paralelo entre a metodologia psicodramática e tudo que envolve a história da boneca.

Primeiro, destacamos o *encontro*, que, para Moreno, é uma das bases conceituais do seu pensamento filosófico e um dos princípios de sua visão antropológica (Menegazzo *et al.*, 1995). O conceito surge em suas produções iniciais, como em *As palavras do pai*:

> A ideia do procedimento sociométrico ocorreu-me de forma natural, durante a Primeira Guerra Mundial. Vi uma comunidade de pessoas individualmente bem-intencionadas converter-se em um manicômio, e tratei de encontrar para eles um remédio médico-sociológico. Mas a ideia do psicodrama me veio de uma maneira tortuosa. O problema começou a me preocupar quando estava para publicar meu primeiro livro. A ideia de um Encontro, primário, cara a cara, pareceu-me superior ao Encontro secundário entre o leitor e eu mesmo, reduzido a uma conserva técnico-cultural, a um livro. Destruí o livro que acabava de escrever e escrevi um novo cujo tema principal era o conceito de encontro. (Moreno *apud* Bustos, 1992, p. 39)

Há outro significado para esse mesmo conceito, encontrado na obra *Psicoterapia de grupo e psicodrama*:

> "Encontro" significa mais do que uma vaga relação interpessoal (*Zwischen Mensschliche Beziehung*). Significa que duas ou mais pessoas se encontram, mas não somente para se enfrentarem, e sim para viverem e experimentarem-se mutuamente [...]. Em um encontro as duas pessoas estão ali, com todas as forças e debilidades, dois atores humanos explodindo de espontaneidade, apenas em parte conscientes de seus fins comuns. (Moreno *apud* Bustos, 1992, p. 336)

Na história da boneca abayomi, o "encontro" acontece pelo encontro dos tecidos que se entrelaçam em nós e se transformam em algo precioso, que traz acalento à situação de dor e sofrimento.

Notamos que, nas duas definições, a necessidade de superação de dada situação possibilita que se crie algo que transforme aquela realidade por meio da espontaneidade e da criatividade. Identificamos também o aspecto inter-relacional citado por Moreno, que é o princípio de toda a sua teoria: o Ser em relação. Em abayomi, "ofereço a você o melhor que tenho em mim".

Outra conexão possível entre a história das abayomis e o psicodrama está no conceito de "matriz de identidade", alicerce do processo de aprendizagem e compreensão do desenvolvimento do indivíduo para o psicodrama.

> Esse processo de "matrização", de fato, começa com a própria concepção do bebê, continuando, posteriormente, através da relação estabelecida entre ele e a mãe. A mãe, como primeiro ego-auxiliar da criança, tem a função de nutrir, proteger, reconhecer as necessidades físicas e psicológicas do bebê, ajudando-o na conquista de seu projeto de crescimento. Outras relações que a criança estabelece com o mundo, com o pai posteriormente e com outras crianças, ajuda-a na sua caminhada: primeiramente pelo reconhecimento de si e do outro e a seguir pela possibilidade de se colocar no lugar do outro, permitindo que este faça o mesmo com ela, e desse modo, conquistando a fase de inversão de papel. (Wechsler, 1998, p. 24)

Quando nos referimos à abayomi e à não delimitação dos detalhes da face, a fim de representar todas as etnias, compreendemos um reconhecimento da multiplicidade de expressões possíveis nesse rosto, de que qualquer rosto pode ser ali representado, podendo, inclusive, inverter de papel com outro sujeito, estar no seu lugar, tentar sentir-se em sua pele.

**Oração do negro**
Ó Senhor,
Tem-se dito
que cada vez

que um homem nasce,
é mais um olho que se abre em Ti.
Porventura também se abre um olho
em Ti
a cada vez
que nasce um homem negro?
Então ó Deus, tu deves ter
milhões de olhos agora.

Como podes Tu manter separadas
Todas as coisas que Tu vês?
Como podes Tu ver
a mesma coisa
olhando-a
através de tantos olhos?

Acaso Tu me vês,
ó Senhor,
com todos os Teus olhos
ou somente com o olho
que Tu tens em mim?
(Moreno, 1992, p. 235)

## TRÊS HISTÓRIAS

Quando começamos a desenvolver as vivências com a abayomi, percebemos que, assim como nos nós da transformação da boneca, nosso trabalho também foi sendo criado e transformado a partir do compartilhar de nossos encontros com a história dela.

## Por Maria Célia

Eu sou Maria Célia Malaquias. Gosto de me apresentar, pois assim me dou conta de que essa é minha primeira base de identidade: uma paulista de nascimento e mineira de formação. A essa identidade muitas outras se juntam, se articulam, convivem: mulher negra, psicóloga, psicodramatista, mestre em Psicologia Social, que há mais de três décadas tem se dedicado ao estudo, à pesquisa e ao trabalho, tentando ajudar a si e a outras pessoas no tratamento das dores emocionais que o preconceito, a discriminação, o racismo provocam. Trabalho como psicóloga clínica, no meu consultório, e como psicóloga clínica e social em diferentes espaços, e tenho o privilégio de levar um pouco do que tenho aprendido sobre as pessoas e sobre as relações étnicas.

Na minha graduação, éramos apenas duas negras. E, ao longo de toda a minha trajetória escolar/acadêmica, nunca tive um professor negro. Durante anos senti falta de interlocutores, como se eu falasse de um lugar que não entendia. Apenas recentemente o Brasil se assumiu como um país racista. E, entre o oficial e o que de fato vivemos, sabemos que há um distanciamento enorme.

Minhas inquietações e meus questionamentos há muito vêm de perguntas: como a psicologia e o psicodrama podem nos ajudar a ajudar as pessoas?

Meu primeiro encontro com o psicodrama aconteceu quando descobri um trabalho de Moreno em 1945, numa universidade dos Estados Unidos, por meio de um casal negro. Fiquei maravilhada: finalmente encontrava ali um interlocutor de peso!

O tempo seguiu, eu me tornei professora de psicodrama e, numa dessas turmas de formação, encontrei Ermelinda, mulher negra com competências pessoais e profissionais. Logo a convidei para trabalharmos juntas. E, no ano passado, tive o privilégio de ser apresentada às abayomis pela Ermelinda.

Sim, eu já conhecia as abayomis e seu significado africano. Tenho dois amigos cujos filhos se chamam Abayomi, mas foi por meio da Ermelinda que realmente entendi o significado delas e que começamos a refletir juntas sobre a profunda interação/interlocução que há entre psicodrama, etnodrama e as abayomis. Foi nesse contexto de descobertas e redescobertas que reencontrei Adriana, também minha ex-aluna de psicodrama, que me procurou em um momento de transição profissional para falar sobre seus novos projetos. Identificamos alguns interesses comuns, entre eles o etnodrama e as abayomis. Logo formamos esta equipe, com a qual cada encontro tem sido de muito prazer, descobertas e transformações.

## Por Ermê

Sou Ermelinda Marçal, assistente social, e o meu encontro com a abayomi se deu em novembro de 2015, quando uma amiga me enviou por e-mail a atividade que estava desenvolvendo com suas crianças em sala de aula no mês da Consciência Negra. São crianças que têm necessidades educacionais especiais, e ela tinha como objetivo, além de contar a história dos negros, trabalhar a coordenação motora. Há mais de dez anos trabalho com a inclusão da pessoa com deficiência no mercado de trabalho, e foi coordenando o programa de inclusão em uma empresa que conheci essa minha amiga, Alexandra. Trabalhamos juntas por um tempo e, na elaboração das atividades pedagógicas para o desenvolvimento profissional dessas pessoas, rapidamente me identifiquei e senti que a luta e as dificuldades que elas passavam tinham muito que ver com o que eu vivia como negra e como mulher negra; em contrapartida, a superação que eu via nelas me fortalecia e me ajudava a superar muitas das minhas dificuldades. Então, durante muito tempo, buscar uma forma de trabalhar essas duas questões juntas – a questão racial e a da pessoa com deficiência – fazia todo sentido para mim. E, quando encontrei a história das abayomis, já estudando psicodrama e propondo essa metodologia como forma de trabalhar a inclusão, deu-se o "encontro precioso"! Como foi também meu encontro com Maria Célia, minha mestra nas aulas de psicodrama e com quem tenho trabalhado e aprendido muito; e com Adriana, que aceitou prontamente o convite de participar comigo de uma oficina de abayomis para crianças de um centro de acolhida em São Paulo, tendo acabado de conhecer a história da boneca. Enfim, sintonia pura!

Por fim, digo que meu encontro comigo mesma aconteceu do meu encontro com a pessoa com deficiência, pois foi a partir desse olhar que pude descobrir minhas potencialidades e empoderar minha negritude. Esse encontro não podia ser mais significativo, como o é com Maria Célia e com Adriana, que me explicam algo sobre aquilo que nunca nomeei, nunca discuti: o sentimento de não pertencer a uma sociedade que a exclui o tempo todo e não lhe dá referências de identidade. Como negra, nunca tive dúvidas de quem sou; e, como todo negro, não entendo nem aceito o racismo, mas vim de uma geração que ainda não tinha tanta visibilidade como agora, e falar tão abertamente sobre isso era proibido. Foi no olhar para a pessoa com deficiência que me enxerguei. E, ao olhar para a abayomi, um rosto sem detalhes da face, consigo ver toda a diversidade humana que nos completa e da qual fazemos parte. Olhar para o outro e conseguir se ver, entender sua dor, sem palavras, só sentir e respeitar, e se juntar a esse outro num nó que fortalece e se transforma em outros "nós". Por isso, também me dedico a esse trabalho de inclusão da pessoa com deficiência por meio do encontro do psicodrama com a abayomi...

## Por Adriana

"Estamos aqui fazendo umas bonecas de pano... Veja que lindas!" Foi dessa forma que fui rapidamente apresentada às bonecas abayomis por duas amigas com quem tenho muita afinidade e com quem dividi angústias e conquistas no dia a dia de trabalho. Senti curiosidade em saber mais sobre as bonecas, percebendo quão ricas de significados elas poderiam ser. "Você poderia me mostrar como faz? Vou até sua casa e você me ensina?" foi o pedido que fiz a Nathali, que prontamente aceitou, amiga e parceira de vivências na Fundação Casa de São Paulo, onde trabalhei em projeto de qualificação profissional por quase quatro anos. Em uma rápida e precisa oficina caseira, fiz minha primeira boneca, que guardo até hoje e parece conter em si a semente de novos projetos que sonhei realizar com mulheres em diferentes contextos. Providenciei alguns retalhos de pano e, como em um processo de gestação para uma nova vivência, preparei-me, sem saber ainda que outros preciosos encontros seriam trazidos pela abayomi.

Os grandes encontros acabam fazendo sentido em momentos de intensidade. Trabalhar na Fundação Casa foi uma dessas experiências que, além da atividade profissional, proporcionou emoções diversas e contraditórias, um verdadeiro equilibrar-se entre vivências de conquistas e frustrações cotidianas, em um contexto marcado pela privação de liberdades e, não raro, pela contradição entre a teoria e a prática. Atuei como educadora social e coordenadora no projeto de cursos de qualificação profissional, com foco na construção de espaços de discussão sobre juventude e mundo do trabalho, oferecendo algumas ferramentas para iniciação profissional. Não seria possível passar por essa vivência sem estar especialmente sensível às questões que fazem parte do universo desses adolescentes, que é marcado pelo sofrimento, pela exclusão social, pelo preconceito e pela superação necessária para transpor uma realidade violenta que atinge sobretudo os jovens negros nas periferias dos grandes centros urbanos.

Antes da Fundação Casa, tive outras experiências fundantes de quem sou e de como vejo o mundo. Por ter nascido e vivido por quase 30 anos em Santa Catarina, região marcada essencialmente pela colonização alemã e italiana, minhas primeiras compreensões de mundo se constituíram nesse ambiente. Região tranquila e acolhedora de se viver, com ofertas de emprego e estudo acessíveis à grande parte da população, que se orgulha de sua tradição trabalhadora e de suas raízes europeias, mas nem sempre visualiza com nitidez o abismo social que outras partes do Brasil enfrentam. Levo comigo muito da cultura e dos aprendizados dessa terra, assim como levei o desassossego e a necessidade de ver o que havia além dos morros do vale. Olhar o Brasil a partir de um olhar paulistano, na sua multiplicidade de expressões do que é ser Brasil, me fez interagir com outras explicações sobre a nossa história, nossa origem cultural e ancestral. Entendi que todos nós temos sangue negro, branco e indígena, e não poderia nenhuma dessas heranças ser priorizada em detrimento de outras. Entender o histórico de colonização europeia, de massacre do povo indígena e africano, é uma parte da história que não podemos deixar passar despercebida. Como mulher, educadora, psicodramatista, brasileira, cidadã, branca, vejo a importância de dar visibilidade à história por trás da história do Brasil que nos é contada nos livros, uma história que pode ser contada da perspectiva do povo africano. A abayomi me deu a oportunidade de entrar em contato com essa outra versão da história, que foi invisibilizada durante muitos séculos e cuja herança de escravidão ainda se atualiza na violência cotidiana praticada contra os meninos pretos, periféricos, com alguns deles indo parar na Fundação Casa.

Ao conhecer a história da abayomi fiquei pensando em como seria incrível fazer uma conexão entre sua história e o psicodrama no trabalho com jovens e mulheres. Foi então que, um mês depois do meu primeiro encontro com a boneca, recebi uma mensagem da Ermelinda me convidando para desenvolver com ela um trabalho com as bonecas pretas e me perguntando se eu já tinha ouvido falar delas. Achei que foi uma bela sincronia! Após nosso primeiro encontro em uma empresa, contatamos a Maria Célia para fazermos juntas uma compreensão e um processamento do vivido. A continência do grupo nos permitiu ver quão rica seria nossa troca, a partir de diferentes olhares, diferentes histórias; poderíamos nos nutrir de nossa multiplicidade, no fenótipo e no desejo de integrar.

## INICIANDO OS TRABALHOS

Aquecidas com a descoberta, era hora de iniciar as direções com a inclusão da boneca abayomi. E, assim, em 4 de novembro de 2016, nasceu o primeiro trabalho psicodramático que trazia a boneca como objeto intermediário dentro de uma perspectiva socioeducacional, ao lado de profissionais com deficiência que atuavam em diversas áreas de uma empresa de assistência médica na cidade de São Paulo. Esse trabalho foi conduzido em codireção por Ermelinda e Adriana com o tema "Motivação para superação de desafios" e tinha como objetivo o engajamento dos profissionais incluídos, buscando a proatividade, a motivação, o fortalecimento da autoestima e o trabalho em equipe. Iniciamos contando a história da abayomi e orientamos sobre o passo a passo de como fazê-la. Nos primeiros movimentos com as suas bonecas, muitos participantes já pareciam construir algum vínculo com elas, atribuindo nomes e apelidos às suas produções. Pedimos que subgrupos fossem formados, para que eles pudessem trocar experiências de desafios vivenciados no contexto profissional e nas estratégias que eles utilizavam para enfrentá-las. Após uns instantes de troca, solicitamos que cada grupo pensasse em uma cena que representasse as histórias compartilhadas. A partir do sociodrama que ali se desenvolveu, cada grupo apresentou sua cena e, ao final, intervenções visaram colocar um foco de luz nas possíveis estratégias de superação para cada situação. Foi um momento de dar voz aos desafios vividos em comum, como a dificuldade de locomoção para chegar ao trabalho e a falta de empatia por parte de alguns colegas. A direção foi feita em relação às bonecas, que, não raro, se transformavam no posicionamento do próprio corpo do participante, ávido por trocar de lugar com ela.

O segundo trabalho ocorreu em 25 de novembro de 2016. Agora éramos em três na equipe. E, com Maria Célia, construímos a segunda vivência com a abayomi para a semana da Consciência Negra na Universidade Federal do ABC (UFABC), no polo de São Bernardo do Campo, com o tema "Etnodrama e abayomis: possibilidades de encontros e transformações".

Nesse momento, para contar a história da boneca, criamos um esquete para o aquecimento. Ermelinda conta a história da abayomi (inspirada naquela a que tivemos acesso, compartilhada pela tradição oral), intercalada pelo poema "O navio negreiro" de Castro Alves, declamado por Adriana, que, na ocasião, também sugere um possível nome para a vivência: "Abayodrama".

E assim ficou a história em composição com o poema:

Conta a história que, quando os negros foram trazidos para o Brasil, arrancados de sua terra, trazidos contra sua vontade, açoitados, amordaçados, acorrentados, escravizados, vinham em navios, os navios negreiros…
— Para onde estão me levando? Para onde vou?

"Stamos em pleno mar… Dois infinitos
Ali se estreitam num abraço insano,
Azuis, dourados, plácidos, sublimes…
Qual dos dous é o céu? qual o oceano?… […]"

Submetidos a condições sub-humanas, com pouca comida, pouca água, amontoados, muitos adoecem e morriam... depois, eram lançados ao mar. Pensem em tamanha crueldade!

Conta a história que foram trazidos aos milhares: homens, mulheres, idosos, crianças... E as crianças? O que dizer delas? Sem saber ao certo o que estava acontecendo, de uma hora para a outra não tinham mais sua casa, separados de seus familiares, amigos, seus brinquedos... Como suportar viagem tão dura?! E, então, choravam...

"Negras mulheres, suspendendo às tetas
Magras crianças, cujas bocas pretas
Rega o sangue das mães:
Outras moças, mas nuas e espantadas,
No turbilhão de espectros arrastadas,
Em ânsia e mágoa vãs! [...]"

E as mães negras? Sofriam mais ainda em ver seus filhos naquela situação... Então, para acalentar seus filhos, rasgavam tiras de suas roupas e construíam sem nenhuma costura, *só nós e amarrações, a abayomi*. Também não tinham a demarcação dos detalhes da face, do nariz, da boca, dos olhos, para simbolizar todas as etnias que ali estavam no navio. Abayomi vem do iorubá e significa "encontro precioso" e também "aquele que traz felicidade", alegria, porque transformo o encontro desses nós em algo precioso e entrego a você a felicidade e aquilo que tenho de melhor, para que nunca se esqueça de que foi amado.

"São mulheres desgraçadas,
Como Agar o foi também.
Que sedentas, alquebradas,
De longe... bem longe vêm...
Trazendo com tíbios passos,
Filhos e algemas nos braços,
N'alma – lágrimas e fel... [...]"

Assim como no encontro anterior, percebemos que rapidamente o pequeno grupo de universitários que ali se uniram para experimentar a vivência com as abayomis entrou de forma intensa e ainda mais emocionada na proposta. Mobilizados pela importância reflexiva da semana da Consciência Negra e também pelo aquecimento que explorava o elemento sensível da história, o grupo trouxe compartilhamentos de vivências de grande conteúdo emotivo, com exemplos de preconceitos vividos e dúvidas sobre a legitimidade de participação em movimentos por parte de brancos e negros. Finalizamos o trabalho com a oficina de bonecas, ocasião em que os participantes puderam construir suas abayomis, identificando o passo a passo de sua criação e possibilitando uma ressignificação de dores vividas.

E, assim, sucessivamente, novos trabalhos em diferentes contextos e abordagens foram ocorrendo, mas sempre tendo a história da abayomi como fio condutor, com a inclusão também de novos elementos, como música e objetos percussivos à cena.

Estamos em processo de pesquisa sobre as possibilidades a ser exploradas com o abayodrama. Entre elas, sentimos a necessidade de oportunizar um espaço de maior intimidade dos participantes do grupo com as suas abayomis, a fim de criar um espaço de diálogo interno, inspirado no psicodrama interno de Fonseca, ocasião em que cada sujeito pode olhar para sua boneca e fazer uma pergunta mobilizadora, para então trocar de lugar com ela, como em uma experiência de conexão com uma sabedoria interna e, até mesmo, ancestral.

### O que você vai fazer com seus panos?

Ao longo de nosso processo de experiência, percebemos o imenso potencial mobilizador das bonecas abayomis. Uma boneca negra que acaba fazendo menção a elementos do imaginário brasileiro de tradição judaico-cristã misturando-se às religiões de matriz africana criava curiosidade e encanto sobre o seu significado em diversos grupos. Da delicadeza em sua forma à força de sua função como objeto intermediário, vimos a possibilidade de interagir com panos coloridos e tesouras, criar e recriar um elemento que nos remete à brincadeira de criança, mas também à transgressão de poder falar de aspectos profundos da subjetividade de forma lúdica e despretensiosa. Vimos grupos particularmente tocados por conhecer uma versão da história da abayomi contada a partir da tradição oral e por poder fazer uma conexão com a parte de nossa história que nos foi negligenciada, percebendo os desafios sociais e individuais enfrentados, e mostrar estratégias criativas de sobrevivência diante de uma situação-limite, assim como saídas para questionamentos pessoais de vida.

Construir a boneca e nela investir seus próprios adereços, personalizando-a e agregando a ela valores pessoais, tem se mostrado uma experiência de grande profundidade nas questões próprias do indivíduo. Entrando na história a partir do contexto social apresentado no aquecimento, cada participante é convidado a fazer um mergulho em si mesmo, nos desafios pessoais enfrentados, nas questões que precisam ser olhadas, tocadas, cuidadas, como em um processo de vestir a boneca com novos adereços, buscando emergir o que estava submerso e a superação por meio de novas estratégias. Que alternativas criativas são possíveis de se resgatar no aqui e agora, diante de sua abayomi? O que vamos fazer com nossos panos?

A seguir, relataremos outras duas vivências de grande importância para nossos estudos com abayomis e psicodrama:

1. *Workshop* "Etnodrama e abayomis: encontros, descobertas, transformações – histórias de superação", com direção de Maria Célia Malaquias e ego-auxiliar Cristine Massoni, realizado no XI Congresso Iberoamericano de Psicodrama, em Lisboa, Portugal, em 6 de maio de 2017.
2. Ato socionômico realizado no Daimon – Centro de Estudos do Relacionamento, em São Paulo, em 5 de outubro de 2017, intitulado "Abayodrama: criar, recriar, transformar", com direção de Maria Célia Malaquias e Ermelinda Marçal e Adriana Dellagiustina como egos-auxiliares.

### *WORKSHOP* "ETNODRAMA E ABAYOMIS: ENCONTROS, DESCOBERTAS, TRANSFORMAÇÕES – HISTÓRIAS DE SUPERAÇÃO"

Contamos com a participação de 20 pessoas. Entre os presentes, havia uruguaios, argentinos, mexicanos, espanhóis e brasileiros. Em relação à área de atuação, havia gente da saúde, educadores, psicólogos, psicodramatistas (formados e em formação) e assistentes sociais. Em relação à expectativa com o trabalho, foram apontados: interesse pelo tema, interesse por transculturas e diversidade, afeto pela diretora, busca da própria identidade e o fato de aquele ser o único trabalho apresentado no congresso com o tema.

Para o aquecimento inespecífico do trabalho, por não estarmos com a equipe completa em Lisboa, foi projetado um vídeo com a participação de Adriana e Ermelinda, com a contação da história das abayomis. Para o aquecimento específico, logo após a projeção do vídeo, a direção voltou-se para o público, solicitando que cada participante fechasse os olhos e percebesse as ressonâncias. Várias abayomis foram colocadas no centro do espaço, algumas vestidas e outras não, deixando à disposição também tesouras e retalhos de tecidos. A diretora solicitou que, lentamente e a seu tempo, cada participante conhecesse uma abayomi, se aproximasse dela e permitisse "que ela o escolhesse", sentindo esse contato e buscando um lugar confortável na sala para permanecer com sua boneca. Um silêncio respeitoso preencheu a sala nesse momento – um instante de muita intimidade, intensidade de emoções, um verdadeiro mergulho no encontro que ali se processava com a abayomi. Ego-auxiliar e diretora se aproximavam ora de um, ora de outro, oferecendo continência, aconchego, ninho.

Já na dramatização, usamos o recurso do psicodrama interno. Nesse momento, a diretora sugeriu que cada um conversasse com a sua abayomi, para contar a ela algo sobre si mesmo, alguma dificuldade que estivesse vivendo, algum desafio que precisasse superar. Solicitou a inversão de papel, internamente, entre o participante e a sua abayomi: "Como abayomi, converse com essa pessoa que está aí na sua frente. Diga a ela, como abayomi, o que ela mais precisa ouvir de você, neste momento". Em seguida, solicitou-se que cada um revertesse essa inversão de papel. A diretora pediu então que se formassem duplas, a fim de partilhar a vivência que se passara internamente. Todos formaram duplas, exceto uma pessoa, que permaneceu em silêncio e não quis se juntar a nenhuma outra. Demos um tempo a mais para ela. E, quando a direção se aproximou dela, abraçou-a fortemente, com uma mão que segurava firme e a outra que acariciava o braço, como se estivesse se aninhando no colo. Depois de alguns instantes em silêncio nessa posição, essa pessoa falou com a voz embargada sobre o avô materno, que só recentemente tinha começado a conhecer sua história. No grupo, pairava uma forte emoção.

Para o compartilhamento, abrimos uma roda e solicitamos que quem assim o desejasse poderia falar ou ouvir o seu relato contado pelo seu par. Relataremos alguns:

*Eu vi aqui um genocídio, um horror como vi muitas vezes na África e aqui na Europa. Corpos jogados pelo chão. Muita dor...*

*Cresci em uma família muito racista, inclusive meu pai, cujo melhor amigo é negro. Não sabia a história do meu nome. Um dia descobri que tem a ver com raça pura, raça do Hitler. Senti vergonha disso.* [Aqui aparece a dor de ter sido uma criança que cresceu numa família racista, a dor da vergonha.]

Uma pessoa conta a história de um irmão de criação do seu pai, que os avós criaram: "Falavam que era irmão, mas ele vivia no quintal, dormia em um quarto fora da casa, como se fosse um bicho".

*O melhor amigo do meu pai é negro e só recentemente comecei a perceber como o meu pai conta piadas racistas pra ele. Ele nem percebe! Digo para meu pai parar e ele fala que é só brincadeira!*

A cada compartilhamento, a direção fazia comentários pontuando aspectos da complexidade do racismo brasileiro, de quanto somos vítimas de um legado de escravidão, de um racismo que humilha e faz sofrer e, sobretudo, enfatizando a reflexão sobre o que estamos passando para as gerações atuais e futuras, fazendo pensar sobre as transformações que queremos e o que temos feito nesse sentido.

*Eu tenho uma mistura de raças na minha família. Há um lado alemão, outro português, outro negro... Eu sou brasileira, mas moro na Europa. Tenho uma filha negra, sofro de pensar em como ela vai sofrer. O meu filho também vai sofrer, embora ele tenha a pele mais clara. Meu marido e eu conversamos com eles, tentamos prepará-los. Meu filho foi visitar o Brasil, ficamos com muito medo de ele ser abordado pela polícia, porque é isso que eles fazem, principalmente com os jovens negros.*

*Me toca o lado mãe que faz de tudo para salvar o seu filho. Pensei nos meus filhos, faço tudo por eles, para vê-los bem...Tenho um cunhado que é mulato, quer dizer, negro, mas parece que ele não se vê assim.*

A direção pontua que a palavra correta a se referir é negro/negra, no lugar de mulato/mulata. É importante reforçar esse aspecto da linguagem que utilizamos no dia a dia, pois ela carrega diversos significados em seu cerne, o que interfere no processo de identidade. A diretora enfatiza que os receios de nomear corretamente a população negra vêm do que podemos denominar "racismo à brasileira", que diferencia o preconceito sofrido pelos indivíduos de acordo com o tom da pele e faz uma associação com tudo de ruim que é atribuído ao negro, inclusive a negação de si mesmo.

*Eu tinha uma babá negra, ela foi muito importante para mim. Hoje eu tenho uma boneca que é ela. Ela foi muito importante na minha formação, na formação da minha identidade.*

*Senti muita tristeza... Eu nasci numa época de guerra, de muito medo e opressão. Então isso de ter de lutar muito para sobreviver, para fazer valer os próprios direitos, me "pega" muito. A luta para fazer valer o direito das mulheres, para poder existir.*

Algumas pessoas preferiram não falar em voz alta. Permaneceram em silêncio; demonstravam estar envolvidas em um compartilhar silencioso, enquanto acompanhavam atentamente, mostrando-se emocionadas.

O trabalho foi finalizado com um abraço coletivo proposto por uma das participantes e com palavras sobre como cada um estava saindo da vivência.

## ATO SOCIONÔMICO "ABAYODRAMA: CRIAR, RECRIAR, TRANSFORMAR"

Gostaríamos de destacar que o convite para a realização dessa vivência em um espaço de grande importância no cenário psicodramático paulistano e brasileiro como o Daimon encheu-nos de alegria pela possibilidade de partilhar um trabalho que estamos fazendo com carinho e respeito, a fim de ampliar nossos estudos e estar em contato com um público interessado em psicodrama, porém sempre muito diverso em sua constituição. Logo no início, a diretora destacou esse aspecto, indicando que a plateia era formada por um público diversificado, com cerca de 50 pessoas, compostas de negros e não negros: "Fico feliz de ver o Daimon tão colorido como se apresenta hoje!" Quanto à expectativa dos participantes, brotaram palavras como: criar, curiosidade, construção, ancestralidade, conhecimento, cura, criança, aprendizado, empatia, amizade, arte, entretenimento.

O aquecimento e a dramatização ocorreram de forma similar ao evento anterior, porém com a participação presencial dos egos-auxiliares, que realizaram o esquete com a cena inicial que contava a história da abayomi. Ermelinda cantou uma música e Adriana auxiliou na sonorização, utilizando um chocalho artesanal. Agradecemos à psicodramatista Teresa Cristina B. Gonçalves pelo relato desta vivência.

A dramatização, por meio do psicodrama interno, deu-se em clima de silêncio e muito respeito, durante o encontro dos participantes com as suas abayomis. Rosa Cukier (1992, p. 54) define psicodrama interno como "um trabalho de dramatização onde a ação dramática é simbólica. O paciente pensa, visualiza e vivencia a ação, mas não a executa". Seguem alguns relatos emocionantes dos participantes do evento:

> *A abayomi me dizia que a sua história é de muita dificuldade de ficar sem chão, sem terra. E você pensava que a sua história é de dificuldades. Não é nada comparado ao que eu passei.*

*Tenho um filho com o nome Abayomi. Na época procuramos o significado e era "nascido para trazer alegrias". A bagagem é de muita dificuldade, é muito pesada. Mesmo fazendo paralelos, a abayomi ainda estava remando contra a maré das políticas públicas. Lutando pela dignidade, pelo reconhecimento e pelo respeito. Pensar todo o processo, sensação de dar sugestões.*

*O contato com a boneca me comoveu. Lembrei-me de minha avó, que brincava comigo e trazia a importância da construção, da criação do que estava fazendo naquele momento. Trouxe a ancestralidade, a força ancestral. E estou com minha filha aqui. Como professora, faço a boneca com as crianças. [...] É um trabalho muito profundo.*

*Busquei o lúdico com a boneca. Ao trocar de papéis, eu disse que sei as dores que carrego comigo. Envelhecimento, dores pelo corpo, anemia falciforme, que é uma doença típica de negros. A boneca me disse: "Precisa focar em um tratamento para as dores. [...] Foca em um tratamento".*

*Não fechei os olhos porque já chorei muito. Vindos da mesma terra. Um milhão foram trazidos, e 60% eram crianças. Fiz um processo de revisão. Notei o instrumento de percussão que fazia o barulho do mar. Então, pensei em oito palavras: nasceram, cresceram, desenvolveram, morreram, luz, energia, interação, amor.*

*Mãe, ancestralidade. Agradeço à minha mãe, que foi faxineira. Lavou muita privada para que eu não tivesse de fazer isso. Fiz mestrado. [...] Minha mãe não entendia o que eu tentava resgatar da mulher negra. Quando a levei ao mestrado, minha mãe percebeu que eu era a única mulher negra e então entendeu minha luta.*

*Educação para nós [negros] é sinônimo de liberdade.*

*Temos o manual de psicologia que prepara o psicólogo contra o racismo. Estamos em outro patamar. Mas precisamos resgatar nossa história.*

> *Contar a história da escravidão parece pesado. Não nos aprofundamos na nossa história, só no que os brancos pediram. Um defensor público disse por esses dias que as babás, cuja maioria é negra, são fedidas. Isso me revoltou. Me doeu a história dos porões dos navios. Veio uma questão: liberdade. Sempre tem uma coisa nos prendendo.*

Como compartilhamento e fechamento do trabalho, a diretora pediu que os participantes dissessem em uma palavra o que vivenciaram: as palavras foram luz, aconchego, resistência, gratidão, esperança, movimento e resiliência, entre outras. Ela perguntou ao grupo: se pudessem fazer um movimento que representasse a vivência, o que seria? Parte do grupo fez um movimento e começou a se formar uma estátua grupal. A outra parte permaneceu onde estava. A diretora pediu às pessoas que não se mexeram que dissessem uma palavra sobre o que viam. Surgem os termos união e resistência, entre outros. Ao grupo que forma a estátua se perguntou se havia uma palavra. Foram ditas: gratidão e respeito, entre outras.

A estátua se desmanchou e uma das participantes começou a cantar a música "O sol", do grupo Jota Quest: "Ei, dor/ Eu não te escuto mais/ Você não me leva a nada/ Ei, medo. Eu não te escuto mais/ Você não me leva a nada./ E se quiser saber/ pra onde eu vou/ Pra onde tenha Sol/ É pra lá que eu vou". Outra participante canta uma música de composição própria. "O mar faz ninar o nenê. Nos braços de Iemanjá…"

O grupo escolheu finalizar a vivência em círculo, de mãos dadas, cantarolando "o mar faz ninar o nenê…" num clima de aconchego, de um balanço suave, que acolhia a todos.

### Solilóquio da diretora

Abayodrama não é um método psicodramático novo. Porém, inspiramo-nos no importante trabalho de Elisete Leite Garcia, com seu método tatadrama, definido por ela como "método que abriga a intuição e a sensibilidade, se tornando mais um instrumento pedagógico e terapêutico, podendo se constituir em uma excelente ferramenta psicoterapêutica" (2010, p. 29).

Os relatos dessas duas vivências expressam parte da intensidade do que vivi nessas duas direções, cada uma de um lado do oceano Atlântico, com diferenças de público, mas mesma metodologia aplicada e muita semelhança das dores emocionais provenientes de um legado histórico de um povo escravizado. As bonecas abayomis possibilitaram importantes encontros e reflexões sobre relações étnico-raciais, gênero, desigualdades sociais. Tivemos a oportunidade de acompanhar alguns desdobramentos para além da vivência, pessoas buscando transformar vidas, relações. Há muito que fazer, refletir, estudar, trabalhar e compartilhar.

**REFERÊNCIAS**

Alves, Castro. "O navio negreiro". In: *Os escravos: poema brasileiro*. Rio de Janeiro: Tipografia da Escola de Serafim José Alves, 1884. Disponível em: <http://www.biblio.com.br/defaultz.asp?link=http://www.biblio.com.br/conteudo/CastroAlves/navionegreiro.htm>. Acesso em: 20 nov. 2017.

Bustos, Dalmiro Manuel. *Novos rumos em psicodrama*. São Paulo: Ática, 1992.

Castanho, Gisela P. "Jogos dramáticos com adolescentes". In: Motta, Júlia (org.). *O jogo no psicodrama*. 2. ed. São Paulo: Ágora, 1995.

Cukier, Rosa. *Psicodrama bipessoal: sua técnica, seu terapeuta e seu paciente*. São Paulo: Ágora,1992.

Garcia, Elisete Leite; Malucelli, Maria Ivette Carboni. *Tramas e dramas do boneco de pano no tatadrama*. Rio de Janeiro: Livre Expressão, 2010.

Langenbach, Marcos Lins. *Além do apenas funcional: inovação de serviços e designer na realidade brasileira*. Dissertação (mestrado em Ciências da Engenharia da Produção) – Universidade Federal do Rio de Janeiro, Rio de Janeiro (RJ), 2008.

Menegazzo, Carlos Maria et al. *Dicionário de psicodrama e sociodrama*. São Paulo: Ágora, 1995.

Moreno, Jacob Levy. *Psicodrama*. São Paulo: Cultrix, 1975.

_____. *As palavras do pai*. Campinas: Psy, 1992.

Vieira, Kauê. "Bonecas abayomi: símbolo de resistência, tradição e poder feminino". *Afreaka*, s/d. Disponível em: <http://www.afreaka.com.br/notas/bonecas-abayomi--simbolo-de-resistencia-tradicao-e-poder-feminino>. Acesso em: 15 nov. 2016.

Wechsler, Mariângela Pinto da Fonseca. *Relações entre afetividade e cognição: de Moreno a Piaget*. São Paulo: Annablume, 1998.

## 12. Ressonâncias compartilhadas

*Maria Célia Malaquias*

Como mencionei na Introdução deste livro, o ponto de partida para a concretização do presente trabalho foi a mesa-redonda "Psicodrama e relações raciais", realizada em abril de 2016, em São Paulo, durante o XX Congresso Brasileiro de Psicodrama. Foi uma experiência enriquecedora para os quatro palestrantes ali presentes.

Como de praxe, essa modalidade de trabalho em congressos inicia-se com a apresentação, por parte dos palestrantes, de suas ideias sobre a temática em questão e, em seguida, a palavra é aberta para que público se manifeste, produzindo as ressonâncias do que foi apresentado.

Ouvimos falas intensas, carregadas de emoção, questionamentos, reflexões, numa demonstração da relevância do tema e da carência de espaços de discussão no universo do psicodrama. E convidamos seis desses participantes para escrever sobre os compartilhamentos feitos na mesa-redonda, por entendermos que são porta-vozes. Todos nos autorizaram a publicar seus compartilhamentos. Uma pequena síntese desses compartilhamentos foi publicada na *Revista Brasileira de Psicodrama* e, aqui, estão na íntegra, apresentados em ordem alfabética.

**CAMILA D'AVILA MOURA (PSICÓLOGA, PSICODRAMATISTA, MESTRANDA EM PSICOLOGIA CLÍNICA)**

Existir uma mesa-redonda discutindo questões raciais em um congresso nacional já é por si só um grande sinalizador de mudanças de paradigmas sociais. As questões raciais foram por muito tempo sufocadas em nossa cultura – que, se por um lado não se dava conta do próprio preconceito implicado nas ações e nas falas, por outro ainda não compreendia muito bem a relevância da discussão de tal temática. Hoje, compreendemos bem a necessidade de dar voz ao sofrimento que nós, negros, enfrentamos ainda hoje. Ao invés de calar, falar, porque assim damos voz a tantas outras dores por aí, de pessoas que muitas vezes já naturalizaram a injúria e o sentimento de inferioridade.

Quando pessoas capacitadas procuram resgatar a história do negro, falar sobre experiências próprias e questionar tal problemática, estão contribuindo fortemente para a quebra do sentimento de inferioridade. Afinal, nada mais forte para romper com tal sentimento do que a representatividade. Muitas vozes que calam e sofrem foram representadas naquele momento da apresentação da mesa, que ocupa um lócus de extrema importância no processo de educação.

Porque educação também combate o racismo. As pessoas que têm ideias preconcebidas sobre alguém em virtude do tom da sua pele têm necessariamente uma falha muito profunda no seu processo educacional. Quando o educador reconhece que é preciso falar sobre racismo, está oferecendo a oportunidade de criação de novas respostas diante de uma problemática que há muito tempo é conhecida, porém ainda pouco abordada.

Como ouvinte desta mesa, meu sentimento mais forte foi o de gratidão, sobretudo porque houve o compartilhamento de histórias pessoais. Penso que é muito rico quando isso acontece. Primeiro, porque uma voz é capaz de dar eco a toda uma história de dor. Segundo, porque tal mesa despertou em mim o interesse em pensar como o psicodrama pode contribuir para a quebra do paradigma social que enxerga a cor de pele como um aspecto qualitativo do ser humano. O racismo, me arrisco dizer, é talvez a conserva mais antiga e até mais cruel que existe em se tratando de conservas relacionais. Pois as questões raciais há muito tempo têm sido anteparo nas relações sociais, criando conservas que empobrecem os vínculos humanos e segregam pessoas dos outros e, o que é pior, delas mesmas. Agradeço à mesa que me deu a oportunidade de me perguntar: o que eu, como psicodramatista, posso fazer para contribuir com a quebra desse paradigma? Ou, como bem colocou Denise Silva Nonoya em sua apresentação: quais são as dissoluções possíveis para essa conserva?

## DAVISON WILLIANS SALEMME (PSICÓLOGO, ATOR, PSICODRAMATISTA, PROFESSOR)

Sou psicólogo, ator, psicodramatista, professor, metalúrgico. Filho de um Brasil cheio de contrastes, me "torno pessoa" transitando entre vários universos, pois descendo de negros nordestinos e de humildes tecelões italianos. Olhos azuis e lábios grossos sintetizam a mistura de que me orgulho tanto.

Tenho dificuldade, é verdade, de escrever sobre algo que me soa tão familiar e ao mesmo tempo se mostra tão digno de reflexões e posicionamentos, por tudo que acompanhamos no contexto social. Talvez essas dificuldades tenham sido alimentadas pela constituição da minha placenta social e das escolhas do meu átomo, que não foram desenvolvidas sobre nenhuma forma de relação tendenciosa, apenas pelo olhar humano.

Acredito que o primeiro momento relevante tenha sido a inspiração que, entre tantas outras atividades, me levou a escolher essa mesa. Esse impulso surgiu, principalmente, pela presença de Maria Célia, pessoa que me inspira com a doçura e altivez com que se expressa sobre o tema. Em vários momentos, me tocou profundamente seu compartilhamento, desprovido por vezes do óbvio acadêmico, mas sempre inspirador, pela carga de emoção e generosidade. "Meu lugar não é aqui", uma das suas falas, inspira meu aquecimento.

No decorrer da mesa, sucedem-se falas, memórias, reflexões, sentimentos, descobertas e ensinamentos que explodem num turbilhão de pensamentos dentro do meu coração e da minha mente. Surge uma vontade louca de abraçar as pessoas presentes, gritar para o mundo que somos todos humanos, a única raça humana que existe, e que o mundo pode ser construído de forma mais justa e positiva, como defendia o mestre Moreno. Base igual para que todos possam desenvolver seus papéis e seu potencial de forma espontânea e criativa.

Senti os olhos marejarem, as falas e os compartilhamentos ressoaram fundo. Como emergente grupal que sente o instante do encontro se aproximando, entreguei-me ao momento. Sempre existem dois lados da mesma moeda. Compartilhei minha angústia de pertencer a dois lados. Sem bandeiras para defender. Apenas vestindo a camisa do "ser humano".

Lembrei-me de algo da fenomenologia que inspira o psicodrama. Não precisa ser "isso" ou "aquilo". Podemos ser isso e aquilo, juntos.

## ERMELINDA MARÇAL (ASSISTENTE SOCIAL, PSICODRAMATISTA EM FORMAÇÃO, CONSULTORA EM INCLUSÃO)

Para mim, sempre foi difícil falar sobre um assunto que me afeta diretamente. Primeiro, por ser negra e, depois, por ter vivido boa parte de minha vida sob falas negativas sobre o que é "ser negro", em uma época em que as referências ainda eram pouco apresentadas. Então, participar desta mesa foi vivenciar um leque de emoções que variaram da imensa tristeza, quando Maria Célia trouxe toda a contextualização histórica da escravização do povo negro (na sequência, também apresentada por Antonio Cesarino e Denise Nonoya), até o "sentimento de libertação", quando, concluindo sua fala, Denise trouxe a poesia de Moreno e Penha, sua indignação.

Foi o psicodrama que me trouxe outro olhar sobre minha negritude, e me ajudou a falar e olhar de frente sem sentir medo, vergonha ou culpa – por incrível que pareça, eu sentia culpa por ser negra, como se devesse um favor à sociedade por existir. Tudo isso é muito louco, mas ao mesmo tempo libertador. Poder falar e compartilhar esses sentimentos é se empoderar e dizer: sim! Eu existo, eu sou e eu posso! Tenho direito como qualquer outro ser humano!

Ouvir tudo que ouvi durante a mesa trouxe tristeza em alguns momentos, por relembrar a história, mas ao mesmo tempo trouxe alegria, por ver entre os presentes interlocutores que compartilham do nosso sentimento de dor e que, graças a Deus, não são a minoria. Escrevo com lágrimas nos olhos, mas fortalecida por saber que não estou só. E, sobretudo, por me reconhecer também em outras minorias, o que confirma a minha luta pela inclusão.

## JÉSSICA DAIANA DE OLIVEIRA (HISTORIADORA, PSICÓLOGA E ESTUDANTE DE PSICODRAMA)

Durante o XX Congresso de Psicodrama Brasileiro, todas as minhas escolhas, fossem elas de mesas-redondas, vivências ou subplenárias, tiveram foco, não foram aleatórias. Assim como o próprio Congresso, que, com o tema "Soluções para tempos de crise", se propunha a pensar ou repensar o papel dos psicodramatistas no cenário que vivemos, eu também, em sintonia completa com o assunto, busquei na diversidade de programações as atividades que vinham ao encontro dos meus mais angustiantes anseios.

Eu ansiava quase desesperadamente por temas que tocassem em questões específicas sem destoar da totalidade e se mostrassem com audácia para aqueles que estavam participando do Congresso. Assim, a mesa-redonda "Psicodrama e relações raciais" respondeu com êxito a esse anseio.

Senti felicidade (mas não surpresa) em comprovar diretamente que alguns psicodramatistas também enxergavam e se inquietavam com as mazelas sociais, que alguns se permitiam o esforço doloroso de pegar essa temática com mãos bem firmes e com coragem, realizando cotidianamente o exercício de abrir as pálpebras, para que, com os olhos bem abertos, pudessem discutir e inferir sobre aquilo que não é para nós apenas de direito, mas também um dever.

Alguns desses psicodramatistas nos emocionam pelo simples fato de emergirem como representatividade – sim, porque ela importa. Por emergirem sob nossos olhos como mulheres e negras, duas categorias que, por conta da cor e do gênero, tiveram permissão social para ser violentadas!

Quando me refiro a alguns psicodramatistas, não o faço no sentido de um menosprezo aos outros, mas para poder ecoar que, na contramão do que muitos pensam e dizem, há dentro do movimento psicodramatista pessoas que, como Maria Célia, Penha, Denise e Cesarino, já compreenderam há muito tempo que "quem não se movimenta não sente as amarras que o prendem".

## PEDRO MASCARENHAS (PSICODRAMATISTA, PSICANALISTA E PSIQUIATRA)

Três negros como expositores na mesa. Todos significativos e especiais para mim. Muita alegria e entusiasmo de ver isso acontecendo. Eu sou branco. Esse assunto ressoa especialmente em mim. Há algum tempo venho trabalhando com o tema do racismo contra os negros no Brasil. Vários psicossociodramas feitos. Alguns dirigindo sozinho e outros com a parceria de Maria Célia Malaquias, psicodramatista, negra, uma das que inauguraram esse tema no movimento psicodramático brasileiro. Neste mesmo Congresso, apresentei, na mesa-redonda "Psicodrama em espaços públicos", uma discussão sobre fazer psicodrama com o tema "Racismo contra os negros no Brasil". Ganha espaço e encorpa o tema no movimento psicodramático brasileiro.

Quando digo que o tema ressoa em mim, refiro-me à emoção que sinto quando dirijo esses trabalhos, quando penso e escrevo a respeito e quando busco espaços para desenvolvê-lo, a fim de articular novos trabalhos sobre ele – tanto para mim como para outros interessados. Tudo isso tem produzido muita ressonância em mim. Também percebo que essa é uma preocupação de muitas pessoas negras e não negras, no Brasil e em outros países.

O tema do racismo, não só contra os negros, cresce como interesse de várias pessoas dos mais variados campos, à medida que no mundo vemos crescer manifestações racistas, xenófobas e fascistas. Muros visíveis e invisíveis são construídos para separar e isolar populações enormes, com a justificativa de controlar a violência e preservar privilégios. Na verdade, saqueiam o patrimônio da humanidade. Patrimônio social, cultural, emocional, político etc.

A discriminação, o ódio ao outro e a vontade de extermínio estiveram e estão presentes ao longo de toda a história da humanidade. No Brasil, isso se assenta em quase 400 anos de racismo, administrado pelos governos do país com a colaboração de diversas instituições religiosas.

Nos psicodramas que venho dirigindo, apesar de me preparar para cenas cruéis, sempre me surpreendo com a intensidade do sofrimento constante. Choque traumático crônico e continuado. Um excesso muito perturbador da estabilidade psíquica. Corpo estranho, estranhamente íntimo, que provoca ruptura de associações, e paralisia do pensamento e da criatividade. A vivência coletiva desse processo em grupos públicos é de importância decisiva para a restauração da dignidade e da capacidade de pensar e criar. Essa dimensão pública da clínica vai permitir a convalidação de verdades históricas, sem desconsiderar a realidade fantasmática também presente.

Muito oportuna essa mesa-redonda sobre tema tão marcante da cultura brasileira. Que nos futuros congressos venham outras como esta.

## SERGIO EDUARDO SERRANO VIEIRA (PSICÓLOGO E PSICODRAMATISTA)

O clímax da minha participação na audiência dessa mesa-redonda despertou com a fala de Maria Célia Malaquias, que me transportou para algumas cenas da minha vida. O disparador foi seu depoimento pessoal de luta e seu percurso histórico na condição de mulher negra. Entrei também nessas cenas por meio de Denise Nonoya e seu relato sobre a miscigenação presente na população brasileira.

A cena referida é da minha adolescência, como descendente de espanhóis miscigenado com portugueses e índios. Lembrei-me de momentos de constrangimento, nessa época, por ter partes do meu corpo desproporcionais a minha altura e peso, fruto dessa miscigenação e da faixa etária de crescimento em que me encontrava. Essa condição gerou vários apelidos e consequentes exclusões e rejeições. Foi o meu *sofrimento sociométrico* ao qual estão sujeitos todos os excluídos e discriminados por questões raciais, estéticas e étnicas. Porém, sou grato a esse sofrimento, pois me levou para a psicologia, como forma de luta ao lado desses excluídos e discriminados. Outra cena, oriunda da minha prática profissional de 25 anos com dependentes de substâncias psicoativas, foi presenciar, em vários contextos, a "desconfiança" e consequente discriminação das pessoas egressas desse meio. Sentimentos representados hoje na famigerada frase que circula nas mídias sociais: "Bandido bom é bandido morto".

Por último, a fala de Cesarino me remeteu à última cena: um relato bíblico sobre o Dilúvio, quando Noé, recuperado de uma bebedeira, amaldiçoa um de seus filhos, Cam (precursor da raça negra), por ter debochado da sua embriaguez e consequente nudez, e o condena a ser escravo dos seus irmãos, Sem (precursor dos árabes e judeus) e Jafé (precursor da raça branca). Os mitos originários dessa história, ensinados por gerações dentro das populações religiosas de tradição hebraico-cristã, infelizmente povoam o imaginário desses grupos e ainda condenam o ser humano negro a todo tipo de sujeição e exclusão. E, agora, provocado pelos parceiros desta mesa, cabe-me desconstruir esses mitos. Minha gratidão a vocês!

\* \* \*

Considero que os compartilhamentos aqui expostos são contribuições importantes porque podem soar como um chamado para que se olhe e se reflita sobre as relações raciais – sobretudo no desempenho do papel profissional, seja nas áreas clínicas e socioeducacional, nas instituições de saúde e educação, nas clínicas privadas ou nas empresas.

Após algumas décadas de caminhada no movimento psicodramático, tenho ciência de ter interlocutores. Ouvi recentemente de uma ex-aluna que tenho plantado algumas sementes. Recebo com muita humildade essa fala e me dou conta do meu entusiasmo cada vez que estou com alguns ex-alunos e colegas, que me procuram para contar suas descobertas pessoais; outros querem contar de um trabalho realizado, dos incômodos que percebem cada vez que falam ou dirigem psicodramas e sociodramas com a temática das relações étnico-raciais. Tenho conhecimento de algumas monografias cujos temas emergiram em vivências em que trabalhamos como unidade funcional.

Mas, como já afirmei neste livro, lidar com essa temática é extremamente desafiador. Em determinadas situações, percebemos que falar sobre o assunto desperta incômodos. Muitas vezes nos veem como inconvenientes: "Lá vem este tema de novo!" São muitas as barreiras a ser vencidas, mas persistimos, resistimos.

Em meados de 2017, convidei alguns amigos e colegas para compor o Grupo de Estudos de Psicodrama e Relações Raciais. Somos nove profissionais, entre psicólogos, educadores e assistente social (oito psicodramatistas e uma terapeuta cognitivo-comportamental), e o grupo se reúne uma ou duas vezes por mês, aos sábados à tarde, a depender das agendas. Durante alguns anos, fiz parte do Grupo de Estudos de Moreno (GEM), coordenado pelos doutores José Fonseca e Antônio Carlos Cesarino. A experiência no GEM me inspira tanto na criação quanto na manutenção do Grupo de Estudos de Psicodrama e Relações Raciais. Temos como objetivos o estudo de pesquisadores sobre relações étnico-raciais no Brasil e pesquisar a interlocução entre a teoria e a prática do psicodrama. Tem sido uma experiência enriquecedora, que já deu alguns frutos. Este livro é a concretização de uma árdua e longa trajetória, e anuncia que, em certa medida, estamos apenas começando e há muito a ser percorrido. Felizmente, cada vez mais pessoas se agregam a essa caminhada, acenando para um futuro mais inclusivo que está sendo coconstruído no aqui e agora.

**REFERÊNCIA**

MALAQUIAS, Maria Célia *et al.* "Psicodrama e relações raciais". *Revista Brasileira de Psicodrama*, v. 24, n. 2, dez. 2016, p. 91-100.

# Sobre os autores

**Adriana Cristina Dellagiustina**
Psicóloga, psicodramatista formada pelo convênio Sopsp-PUC-SP, psicoterapeuta, atriz e professora no ensino fundamental com atuação em orientação educacional. Realiza oficinas e trabalhos vivenciais na perspectiva psicodramática com enfoque socioeducacional junto a grupos com jovens e adultos em contextos diversos. Atuou como coordenadora e educadora em projeto de cursos de qualificação profissional junto a jovens em cumprimento de medida socioeducativa na Fundação Casa de São Paulo. Exerceu atividades voltadas à gestão de pessoas e recursos humanos em empresas e consultorias por mais de sete anos. Participa de cursos e retiros de ioga, meditação e autoconhecimento desde 2014. Contato: adricd@gmail.com.

**Dalmiro Manuel Bustos**
Doutor em Medicina, com especialização em Psiquiatria Clínica e Higiene Mental. Formou-se diretor de psicodrama pelo Instituto J. L. Moreno, em Nova York, em 1974. É autor de vários livros e atua regularmente na Argentina, no Brasil e em vários outros países. Contato: bustosdalmiro@gmail.com.

**Denise Silva Nonoya**
Psicóloga e psicodramatista. Especialista em psicologia social e do trabalho, análise transacional, psicologia clínica e antroposofia e história do negro no Brasil. Possui experiência de 28 anos na área sócio-organizacional, na Universidade do Estado de São Paulo (Unesp), no desenvolvimento de pessoas e na extensão de serviços à comunidade. Desenvolveu projetos, tais como melhoria das condições pessoais para a empregabilidade, sensibilização de educadores ambientais, análise de potencial e orientação de jovens para inserção no mercado de trabalho. Principais instituições nas quais prestou serviços: Unesp, Secretaria do Emprego e Relações do Trabalho, Secretaria da Educação, Secretaria do Meio Ambiente, Ministério do Meio Ambiente, entre outras. Experiência no magistério de ensino médio e superior. Professora convidada do convênio Sopsp-PUC. Coordenadora do Curso de Educação Continuada em Psicodrama da Sociedade de Psicodrama de São Paulo. Atualmente, atua em clínica psicoterápica, no atendimento de adolescentes e adultos, individual e em grupo. Contato: deninonoya@gmail.com.

Maria Célia Malaquias (org.)

**Elisa Larkin Nascimento**
Mestre em Direito e em Ciências Sociais pela Universidade do Estado de Nova York (EUA) e doutora em Psicologia pela Universidade de São Paulo (USP). Preside o Instituto de Pesquisas e Estudos Afro-Brasileiros (Ipeafro), que fundou com Abdias Nascimento em 1981. O Ipeafro guarda o acervo de Abdias e das instituições que ele criou. Com base nesse acervo, o Ipeafro idealiza e organiza cursos, exposições e fóruns de educadores sobre o ensino da história e cultura de matriz africana. Curadora de exposições que mostram o conteúdo do acervo, Elisa Larkin Nascimento escreveu e organizou diversos livros sobre a cultura e história africana e afro-brasileira, inclusive os cinco volumes da Coleção Sankofa. Para contato, acesse o site www.ipeafro.org.br e curta a fã-page https://www.facebook.com/Ipeafro1.

**Ermelinda Marçal**
Assistente social, consultora em inclusão e técnica de emprego apoiado. Atuou por 30 anos na área de RH em administração de benefícios, implantação do Serviço Social e Programa de Inclusão de Pessoas com Deficiência. Especialista na Língua Brasileira de Sinais (Libras) e Educação dos Surdos. Palestrante do I Workshop Inclusão Social no Cooperativismo no Sescoop/SP e do Conarh de 2014 com o tema: "Promovendo a caixa-baixa". Atualmente, está concluindo a pós-graduação de formação em Psicodrama pela Sociedade de Psicodrama de São Paulo. Contato: ermelindamarcal@gmail.com.

**Flavio Carrança**
Jornalista paulistano com passagem por diversas redações de rádio e TV, jornais e revistas; revisor; diretor do Sindicato dos Jornalistas no Estado de São Paulo, onde coordena a Comissão de Jornalistas pela Igualdade Racial (Cojira-SP). É autor de *Espelho infiel: o negro no jornalismo brasileiro*, coletânea organizada em parceria com Rosane da Silva Borges e publicada em 2004 pela Imprensa Oficial do Estado de São Paulo (Imesp). É também autor, com Maria Aparecida da Silva Bento, da coletânea *Diversidade nas empresas & equidade racial*, publicada em 2017 pelo Centro de Estudos das Relações de Trabalho e Desigualdades (Ceert). Contato: flamajor@gmail.com.

**Lúcio Guilherme Ferracini**
Graduado em Psicologia pela Universidade Braz Cubas (1994) e especializado em Aprimoramento Profissional e Psicologia da Saúde/Hospitalar pelo Hospital Santa Marcelina (1997), e em Psicodrama pela Associação Brasileira de Psicodrama e Sociodrama (2008). Formado em Cuidados Paliativos pelo Instituto Paliar (2016). Mestre em Ensino de Ciências da Saúde pela Universidade Federal de São Paulo (Unifesp, 2015). Atualmente, é psicólogo do Hospital Premier, professor-supervisor e presidente da Associação Brasileira de Psicodrama e Sociodrama (gestão 2019/2020). Atua como psicoterapeuta em consultório particular. É docente do curso de Psicologia do Centro Universitário das Faculdades Metropolitanas Unidas (FMU, 2019). Contato: lucio_guilherme@uol.com.br.

### Maria Célia Malaquias

Psicóloga, psicoterapeuta, psicodramatista didata supervisora pela Sopsp e diretora de psicodrama pelo Instituto J. L. Moreno. Mestre em Psicologia Social pela Pontifícia Universidade Católica de São Paulo (PUC-SP). Coautora dos livros: *Gostando mais de nós mesmos: perguntas e respostas sobre autoestima e questões raciais*; *Religiões: tolerância e igualdade no espaço da diversidade*; *Mulher século XXI*; *Intervenções grupais: o psicodrama e seus métodos*; *Psicodrama em espaços públicos: práticas e reflexões*; *O racismo e o negro no Brasil: questões para a psicanálise*. Pesquisadora sobre psicodrama e relações raciais. Presidente da Sociedade de Psicodrama de São Paulo (Sopsp) nas gestões 2007-2008 e 2009-2010. Atual vice-presidente e coordenadora-geral de ensino da Sopsp. Contato: mcmalaquias@uol.com.br.

### Maria da Penha Nery

Psicóloga, doutora em Psicologia pela Universidade de Brasília (UNB). Psicodramatista, professora supervisora em psicodrama pela Federação Brasileira de Psicodrama (Febrap). Autora dos livros *Vínculo e afetividade* e *Grupos e intervenções em conflitos*. Organizadora do livro *Intervenções grupais*. Contato: mpnery@gmail.com.

### Rosa Cukier

Psicóloga desde 1974 pela Pontifícia Universidade Católica de São Paulo (PUC-SP). Psicanalista desde 1983 pelo Instituto Sedes Sapientiae de São Paulo. Psicodramatista, professora-supervisora pela Sociedade de Psicodrama de São Paulo (Sopsp) e pelo Instituto J. L. Moreno de São Paulo. Autora dos livros: *Psicodrama bipessoal – Sua técnica, seu cliente e seu terapeuta* (Ágora, 1992), *Sobrevivência emocional: as feridas da infância revividas no drama adulto* (Ágora, 1998), *Palavras de Jacob Levi Moreno – Vocabulário de citações da sociatria, psicodrama, psicoterapia de grupo e sociometria* (Ágora, 2002) e *Vida e clínica de uma psicoterapeuta* (Ágora, 2018). Contato: rosacukier@uol.com.br.

### Sergio Perazzo

Psiquiatria, psicoterapeuta, psicodramatista e professor-supervisor didata da Sociedade de Psicodrama de São Paulo (Sopsp), credenciado pela Federação Brasileira de Psicodrama (Febrap). Autor de *Descansem em paz os nossos mortos dentro de mim*, *Ainda e sempre psicodrama*, *Fragmentos de um olhar psicodramático* e *Psicodrama: o forro e o avesso* (todos pela Ágora). Coautor em 16 livros de psicodrama, prefaciador de outros doze e autor de 52 artigos (todos de psicodrama). Publicou o livro de poesias *Croemas* (Scortecci, 2002) e o de poemas *O quintal de Joaquina* (FiloCzar, 2019). Membro titular da Sociedade Brasileira de Médicos Escritores (Sobrames-SP) desde 1998. Tem participado de antologias e coletâneas, além de colaborar com outras publicações da Sociedade. É detentor de 20 prêmios literários. É músico amador (saxofonista e violonista). Contato:serzzo@terra.com.br.

www.gruposummus.com.br